D1071093

PATRIMOINES D'ÎLE-DE-FRANCE

Hervé Baley & Dominique Zimbacca architectes

Pour une autre modernité

Sous la direction d'Anne-Laure Sol

Textes de
Jean-Louis Cohen
Patrice Goulet
Caroline Maniaque
Ambre Tissot
Salomé Van Eynde

Photographe
Laurent Kruszyk

Cartographe
Diane Betored

Lieux Dits Éditions

L'Île-de-France, par son attractivité et sa forte densité de population, est un laboratoire unique d'innovation architecturale. Cette dimension est particulièrement remarquable dans le domaine du logement. Si l'engouement des Franciliens pour la maison individuelle ne se dément pas, la qualité architecturale des réalisations reste un enjeu toujours d'actualité. Ce « pas de côté » franchi par l'Inventaire régional, en étudiant ces deux architectes inclassables et méconnus du grand public, vient rappeler que l'audace et l'innovation sont indispensables à la recherche architecturale et à la diffusion de nouvelles idées.

À contre-courant des réalisations standardisées qui s'imposent dès l'entre-deux-guerres, Hervé Baley et Dominique Zimbacca vont, à partir de 1965, démontrer la possibilité d'une alternative au mouvement moderne. L'étude d'Anne-Laure Sol, conservateur du patrimoine au service de l'Inventaire de la Région Île-de-France, éclaire dans cet ouvrage ces itinéraires atypiques marqués par une conception organique de l'architecture.

À la recherche d'une autre modernité, les deux architectes puisent dans le vocabulaire de Frank Lloyd Wright et des représentants de la contre-culture américaine tels Bruce Goff ou Herb Greene pour proposer des réalisations où prime la symbiose entre l'homme et son habitat. Parfaitement intégrées aux sites sur lesquelles elles se développent, les maisons d'Hervé Baley et Dominique Zimbacca offrent une enveloppe protectrice. Toutes abritent une spectaculaire cheminée centrale, point nodal à partir duquel s'organisent les espaces à vivre nécessaires à chacun des habitants, au bénéfice de leur épanouissement.

L'engagement d'Hervé Baley et Dominique Zimbacca, qui, avec prescience, ont imaginé un mode de bâtir plus respectueux de l'homme et de son environnement, résonne avec acuité dans notre société contemporaine. L'attention récente qui leur est portée est un élément inspirant pour concevoir de nouvelles manières d'habiter, accessibles et harmonieuses.

Valérie Pécresse, présidente de la Région Île-de-France

Maison Fraysse, Saint-Maur-des-Fossés (Val-de-Marne),
Atelier d'Architecture et d'Aménagement, 1966.

Taliesin-France

Il y a précisément cinquante ans, les mois de mai et juin 1968 secouaient non seulement l'École des beaux-arts, que la section d'architecture finit par quitter, mais aussi l'École spéciale d'architecture du boulevard Raspail, où j'étais admissionniste. Les étudiants y prirent le pouvoir et remplacèrent tout le corps enseignant. Pour élaborer un nouveau programme et recruter des figures plus stimulantes que les chefs d'atelier antérieurs, les instances autogestionnaires allèrent chercher Marc Emery, alors directeur de la puissante revue *L'Architecture d'aujourd'hui*.

Emery avait étudié à l'université de Pennsylvanie avec Louis I. Kahn, et avait une large vision des démarches innovantes dans le monde. Il invita beaucoup de leurs protagonistes français, et l'école devint pendant quelques mois un extraordinaire forum où les rencontres du samedi étaient ouvertes aux sociologues, aux philosophes, aux designers et aux artistes. Dans le même temps, les cours d'histoire de Pierre Saddy et d'Anatole Kopp ouvraient des perspectives inconnues sur la France, la Russie ou l'Allemagne, pendant que Gilbert Cordier organisait d'homériques projections des diapositives recueillies au cours de ses explorations systématiques de l'œuvre de Frank Lloyd Wright.

Disparu à peine dix ans plus tôt, l'architecte américain avait connu en France une réception à éclipses depuis les années 1920, qui avaient vu les premières publications sur son œuvre. Dans le second après-guerre, il avait été annexé par les cercles conservateurs dont *L'Architecture française* était l'organe, avant qu'il ne soit réintégré dans la vision d'ensemble de la modernité et que les jeunes architectes français ne s'attachent à visiter ses œuvres avec plus ou moins de systématisme, puis à leur consacrer des analyses nouvelles, comme le fit le groupe Syntaxe de Jean Castex et Philippe Panerai.

En termes de projet, la mouvance wrightienne fut vite représentée boulevard Raspail par les trentenaires Hervé Baley et Dominique Zimbacca, unis dans leur intérêt pour le maître américain, auquel une exposition de dessins rendra hommage en 1977 à l'École même. Ils avaient été associés dans l'Atelier d'Architecture et d'Aménagement, en dépit de leurs personnalités radicalement différentes. Le premier était plus prophétique dans ses déclarations et le second plus centré sur la mise au point minutieuse des détails de construction et du mobilier des maisons.

Leur production parallèle est cependant très imbriquée thématiquement et esthétiquement, dès ses premières manifestations présentées dans la revue *Aujourd'hui, art et architecture* par Patrice Goulet, en 1965 au travers d'un article sur Zimbacca – écrit avec Claude Parent – puis en 1966, avec un reportage approfondi sur Baley, présentant son appartement parisien et un ensemble de maisons toutes originales, créées avec Daniel Ginat et Alain Marcoz, qui reste une des meilleures sources imprimées sur son œuvre.

Revenant à des décennies de distance sur l'œuvre de ces deux enthousiastes et découvrant dans les vues reproduites plus loin la complexité savante de leurs œuvres, je suis frappé par le courage qu'ils partageaient avec leurs clients. Leur architecture participe d'un ensemble de positions communes dont la fécondité se révèle. Elle est d'abord fondée sur une maîtrise de la géométrie qui ne se réduit pas à celles des trames orthogonales, triangulaires, voire circulaires, empruntées aux maisons de Wright. Plus qu'une manipulation bidimensionnelle, cette géométrie devient une matrice complexe pour tous les éléments assemblés sous les grandes toitures.

Dans une phase historique où la pratique de la construction s'appauvrit dans un pays comme la France, marqué par l'hégémonie du béton massif ou préfabriqué, les choix matériels sur lesquels reposent les édifices de Baley et Zimbacca sont originaux, car ils privilégient une logique d'assemblage de petits éléments. Entre les maçonneries dont l'échelle est donnée par les joints apparents, qui évoquent les *concrete blocks* wrightiens et les ouvrages de bois, le mode d'édification a une présence tactile rassurante et reste intelligible pour les habitants.

Cette complexité rationnelle des ouvrages est mise au service de l'expérience visuelle – celle des vues vers l'extérieur que l'intelligence du placement dans le site autorise, et celle des séquences intérieures faisant de chaque maison une suite fluide d'espaces habitables. Les séquences se révèlent souvent plus compactes chez Baley et parfois plus serpentines chez Zimbacca. Comme chez Wright, pour qui le *hearth* – le foyer – était le lieu central de l'habitation, la cheminée, souvent formant une sculpture autonome, est le pivot de la maison. Autour de ce cadre de la sociabilité familiale se déploient les dispositifs du mobilier fixe, dont Zimbacca sera un concepteur et un producteur inspiré, à tel point que cet autre wrightien français qu'est Edmond Lay aura recours à sa contribution.

Le terme d'« organique » est si chargé d'intentions contradictoires qu'il tend plus à flouter la compréhension de ces édifices qu'il ne les éclaire véritablement. Il n'en reste pas moins que, comme d'autres architectes ayant puisé leur inspiration dans l'œuvre prolifique du maître de Taliesin – le John Lautner des premières années à Los Angeles et Jean-François Zevaco au Maroc –, l'inscription dans le paysage et la continuité formelle entre toutes les échelles tranchent avec les postures analytiques, sculpturales ou tectoniques des contemporains. Au fil des années et des maisons, Baley et Zimbacca ont ainsi édifié un réseau d'architectures d'autant plus singulières qu'ils avaient la phobie de la répétition, et liées par un certain air de famille pour former une sorte de *Broadacre city* clandestine étendue sur des parcelles secrètes de la grande banlieue parisienne et des régions françaises.

Jean-Louis Cohen, architecte, historien, professeur à l'université de New York

Ce livre a été réalisé par :
La Région Île-de-France,
direction de la culture,
service Patrimoines et Inventaire

Sous la direction scientifique et éditoriale de :
Anne-Laure Sol,
conservatrice du patrimoine,
service Patrimoine et Inventaire,
Région Île-de-France

Direction de la publication :
Julie Corteville, cheffe du service
Patrimoines et Inventaire,
Direction de la Culture,
Région Île-de-France

Relecture : Roselyne Bussière,
conservatrice en chef, service Patrimoine
et Inventaire, Région Île-de-France
Patrice Goulet, architecte et critique
d'architecture

Photographies : Laurent Kruszyk,
Région Île-de-France

Cartographie : Diane Betored,
cartographe-géomaticienne,
service pilotage transverse et
territorialisation, Région Île-de-France

Auteurs :
Jean-Louis Cohen, architecte, historien,
professeur à l'Université de New York
Patrice Goulet, architecte et critique
d'architecture
Caroline Maniaque, professeur des écoles
nationales supérieures d'architecture,
ENSA Normandie
Anne-Laure Sol, conservatrice du patrimoine
Ambre Tissot, diplômée en muséologie et
histoire de l'art, École du Louvre
Salomé Van Eynde, diplômée en muséologie
et histoire de l'art, École du Louvre

Remerciements

L'auteur adresse sa plus vive gratitude à Patrice Goulet qui l'a accompagné avec générosité et patience au long des multiples étapes de ce travail, ainsi qu'à Alice Thomine-Berrada, conservatrice en chef au musée d'Orsay, instigatrice de cette recherche, à Salomé Van Eynde pour son rôle essentiel et à Ambre Tissot.

À la Direction de la Création artistique et des Pratiques culturelles de la Région Hauts-de-France : Isabelle Barbedor, responsable du service de l'Inventaire du patrimoine culturel de la Région Hauts-de-France et Thierry Lefébure, photographe.

Au Service Patrimoines et Inventaire Général, direction de la Culture et du Patrimoine de la Région Auvergne Rhône-Alpes : Delphine Renault, cheffe de service, Caroline Guibaud, conservatrice du patrimoine et Éric Dessert, photographe.

Aux familles, amis et collaborateurs d'Hervé Baley et Dominique Zimbacca qui ont partagé leurs souvenirs :
Khattar Awada, Brunehilde, Gaetan, Gwendale et Riowen Baley, Jean-Pierre Campredon, Micheline Catti, Luc Cazanave, Ray de Dise, Kudsi Erguner, Sabine Ehrmann, Muriel Genthon, Lucien Glass, Anne-Laure Goulet, Maryvonne Ginat, Marc Havet, Annick Lombardet, Jacques Mauraisin, Didier Milon, Delphine Mirodot, Jean-François Riou, Michel Zimbacca, Lucienne Zimbacca.

Aux habitants des maisons d'Hervé Baley et Dominique Zimbacca pour leur accueil :
M. Altazin, M. et Mme Andrès, M.et Mme Auriol, M. Bonnefoi, M. et Mme Charles, M. et Mme Cognet, M. Dibon, M. et Mme Fraysse, M. Etienne, M. et Mme Galliat, M.Lemoigne, M. et Mme Gaugain, M. et Mme Martin, M. Michard, M. et Mme von Bredow, Mme Weill.

Aux responsables du Sanctuaire de l'Universel à Suresnes : Rémy Robelin et Mme Alacuisse-Chabot.

Aux spécialistes de l'histoire de l'architecture pour leurs conseils :
Dominique Amouroux, Roselyne Bussière, Bernadette Boustany, Audrey Jeanroy, Guy Lambert, Daniel Le Couédic, Neil Levine, Emmanuelle Philippe, Stéphanie Quantin-Biancalani.

Sommaire

Itinéraires d'Hervé Baley et Dominique Zimbacca

ANNE-LAURE SOL

L'étude des réalisations d'Hervé Baley (1933-2010) et de Dominique Zimbacca (1928-2011) s'inscrit plus largement dans les recherches actuelles sur l'initiative architecturale dans le domaine du logement individuel en Île-de-France après la Seconde Guerre mondiale. Inscrites dans un contexte d'éclatement professionnel et à l'écart des milieux institutionnels, les carrières de ces deux architectes méconnus se caractérisent par une œuvre pédagogique et bâtie originale, traversée de convictions fortes, dont ce travail propose de révéler l'importance. À partir du milieu des années 1950, réunis par leur admiration pour l'œuvre de Frank Lloyd Wright (1867-1959), Hervé Baley et Dominique Zimbacca s'opposent avec virulence au mouvement moderne, et militent pour une autre modernité architecturale. Leur démarche cherche à produire une architecture « organique », selon leurs propres termes, c'est-à-dire fondée sur la recherche d'une symbiose entre l'homme, son habitat et le site sur lequel celui-ci se développe. S'il existe entre eux de nombreuses similitudes, on note aussi certaines divergences. Hervé Baley, dont la création architecturale se concentre entre 1964 et 1974, puise une grande partie de son vocabulaire dans la production de Wright qu'il a découvert en 1963 aux États-Unis. Dominique Zimbacca, dont les réalisations s'échelonnent entre 1965 et 2000, s'est davantage affranchi de cette référence. Dans des projets de plus grande ampleur, dont la réception est sans doute facilitée par le bouleversement du monde de l'architecture après mai 1968, il met en œuvre une écriture très libre et propose une architecture aux accents fantastiques, qui présente de nettes affinités avec les réalisations des architectes de la contre-culture américaine et avec celles de Bruce Goff (1904-1982) en particulier[1]. Leurs réalisations s'inscrivent dans le contexte du « rêve de la maison individuelle », qui devient dans le dernier quart du XXe siècle, en réaction à la faillite des grands ensembles, un horizon pour une grande partie de la société[2]. Cette typologie, sans doute parce que la maison relève quasiment des fondements anthropologiques de l'habiter, a été le lieu d'épanouissement de leur singularité, entre interprétation de la leçon américaine et élaboration d'une conception personnelle de l'architecture « organique », terme qu'ils élisent dès le début des années 1960. Si l'étude de ces personnalités atypiques a été compliquée par la disparition de nombreuses archives, les rencontres avec des personnalités ayant connu Hervé Baley et Dominique Zimbacca permettent de réévaluer leur trajectoire aventureuse et sans concession dans le panorama de « l'histoire officielle » de l'architecture, dont ils restent encore absents.

Maison Weill, Croissy-sur-Seine (Yvelines), 1966.
Cette maison largement vitrée se caractérise par son intégration dans le jardin qui l'environne.

Hervé Baley sur le chantier de la maison Résibois, Cholet, Maine-et-Loire, en 1960.

UN COMMUN VAGABONDAGE

L'École des beaux-arts, un passage obligé ?

Né à Port-Gentil au Gabon où son père est messager maritime, Hervé Baley passe une grande partie de son enfance à l'étranger : au Gabon, au Brésil, mais aussi au Maroc où ses parents possèdent une maison près de Casablanca. Il partage avec Dominique Zimbacca, né à Paris de parents syriens, grossistes en mercerie installés dans le Marais au début des années 1920, cette familiarité avec d'autres cultures. Leurs itinéraires professionnels et personnels débutent dans le contexte de la Reconstruction qui suit la Seconde Guerre mondiale. Peu de modèles, hors ceux issus du mouvement moderne, s'offrent alors aux aspirants architectes. Dès 1950, Hervé Baley et Dominique Zimbacca sont élèves des ateliers libres d'architecture de l'École des beaux-arts. Ils entretiennent tous deux avec l'institution des relations à la fois intermittentes et conflictuelles[3]. Très critiques à l'égard de l'enseignement qui y est dispensé, ils ne manifestent pas la volonté réelle de pénétrer un système qu'ils dénoncent, et dont ils s'éloignent définitivement après quelques tentatives infructueuses au concours d'admission.

Hervé Baley suit d'abord les cours de Georges-Henri Pingusson (1894-1978). Pourtant considéré par ses contemporains comme l'un des représentants du mouvement moderne, Georges-Henri Pingusson va, dans les années d'après-guerre, en condamner radicalement les excès[4]. Aux Beaux-Arts, il propose dans son atelier, au départ peu apprécié de l'institution, un enseignement fondé sur la notion « d'art poétique de l'espace » qu'il oppose à la « pauvreté de l'architecture utilitaire »[5], selon une approche qui sera déterminante pour la formation du jeune architecte.

L'œuvre de Frank Lloyd Wright : une révélation

Si les conditions de leur rencontre restent à élucider, on sait toutefois qu'Hervé Baley et Dominique Zimbacca visitent, au mois d'avril 1952, dans l'enceinte même de l'École des beaux-arts, l'exposition intitulée « Exposition de l'œuvre de Frank Lloyd Wright[6] ». Créé en 1951 à Philadelphie, sous le titre « Frank Lloyd Wright : Sixty years old living architecture », cet événement est présenté dans plusieurs villes des États-Unis et d'Europe. En France, pour la première fois, « vingt grandes maquettes », « cent dessins originaux et plans », et « une centaine de grands panneaux photographiques muraux[7] » permettent de découvrir l'œuvre de l'architecte américain.
Le « Message à la France » et des extraits de *Quand la Démocratie construit*, qui figurent dans le catalogue de l'exposition, induisent la dimension politique que revêt également cette manifestation qui, pour les États-Unis, représente aussi une opération de communication tendant, dans ces premières années de guerre froide, à renforcer son aura démocratique. Présentée comme exempte de toute tradition académique, l'architecture organique devient alors l'incarnation d'une architecture de la liberté, dont Wright se fait le héraut : « J'apporte en France une architecture libre. Libre parce que basée sur des principes organiques, libre à cause de l'infinie variété qu'on trouve dans cette vérité que Forme et Fonction ne font qu'un. Une architecture

organique qui est libre de toute Tradition académique, libre de toute Tradition sauf les Principes, est la plus grande discipline en même temps que la plus grande inspiration sur terre. Parce qu'elle est volontaire et intérieure, l'architecture organique est souveraine en Démocratie[8]. »
Dans un contexte de relative méconnaissance de l'œuvre de F. L. Wright en France[9], l'exposition suscite une attention nouvelle pour l'architecture organique, perçue par quelques-uns comme une possible alternative à l'architecture moderne. Une tribune rédigée par F. L. Wright et intitulée « L'architecture organique face à l'architecture moderne » est également publiée par l'École lors de l'exposition. Cette découverte a, de façon certaine, des conséquences décisives sur la conception de l'architecture que vont désormais défendre Hervé Baley et Dominique Zimbacca, et pour laquelle ils feront preuve d'un engagement total.

Dominique Zimbacca, vers 1950.

Une marginalité revendiquée

Tous deux se retrouvent en 1954[10] dans l'atelier de Jean Faugeron (1915-1983), dont Dominique Zimbacca[11] est l'élève depuis 1953[12]. Jean Faugeron, profond admirateur de Le Corbusier, transmet paradoxalement à ses élèves un enseignement ouvert aux autres courants de la scène architecturale internationale des années 1950, rendant ainsi possible l'expression de sensibilités non-conformistes. Celles-ci vont également trouver matière à développer leur singularité dans le contexte alors timide en France de la réception de l'œuvre de Frank Lloyd Wright (1867-1959). En 1959, Hervé Baley et Dominique Zimbacca quittent l'atelier de Jean Faugeron sans avoir réussi le concours d'admission à l'École mais parviennent, au moment de leurs réalisations architecturales, à pallier cette absence de titre en choisissant parmi leurs collaborateurs un architecte diplômé.
Ils ne demandent que tardivement leur inscription au conseil de l'Ordre, après que la loi sur l'architecture de 1977 a rendu cette condition obligatoire[13]. Cette marginalité originelle, à laquelle s'ajoutent des conceptions éloignées de celles de leurs contemporains, les exclut tout à la fois d'un réseau professionnel et des commandes octroyées à une nouvelle génération d'architectes, à un moment où se déploie en France un gigantesque effort de construction.
Tous deux sont très critiques à l'égard de l'École des beaux-arts dont ils jugent les méthodes sans rapport avec la réalité contemporaine. Quinze ans plus tard, Dominique Zimbacca revient sur cet enseignement qu'il tient pour responsable de l'impasse dans laquelle se trouve selon lui l'architecture contemporaine : « L'élève architecte en France « monte en loge » pour quelques heures « pour prendre le parti », c'est-à-dire la direction essentielle de l'étude ; il n'a donc aucun droit à l'hésitation, à la réflexion, au recueillement. Comment s'étonner du caractère schématique de l'architecture moderne ? Comment s'étonner que l'habitation devienne « logement », « cellule-type » d'un bloc, que les lieux s'appellent des « zones » et les villes des « grands ensembles » ? Il est des mots qui jugent de l'esprit qui les emploie. »[14].

Maison I. N. Hagan, Chalkhill, Pennsylvanie, 1954. Ces photographies font partie de la série prise en 1963 par Hervé Baley, Daniel Ginat et Frédérick Leboyer lors de leur voyage de deux mois aux États-Unis. La maison Hagan est située à quelques miles de la maison Kaufmann ou « maison sur la cascade » qui fait également partie du circuit de visite des réalisations de Frank Lloyd Wright réalisé par les trois amis.

Robert Llewellyn Wright House, Bethesda, Maryland, USA. C'est en 1953 que Frank Lloyd Wright dessine, pour son sixième enfant Robert Llewellyn, le projet de cette maison, qui sera construite en 1957. Appartenant à la série des maisons usoniennes, elle se caractérise par son plan circulaire et son utilisation de la forte déclivité du terrain.

Maison Harold Price Sr, « Grandma house », Paradise Valley, Arizona, 1954. Il s'agit de la résidence d'été d'Harold Price Sr, pour qui Wright avait réalisé en 1952 la Price Company Tower puis en 1953 sa résidence principale à Bartlesville, Oklahoma. C'est Bruce Goff qui avait encouragé Harold Price à s'adresser à Wright. Bruce Goff a d'ailleurs habité et travaillé dans la Price Tower de 1956 à 1964. Il a ensuite réalisé en 1965 « ShinenKan », la maison de Joe, le fils d'Harold Price, toujours à Bartlesville.

Vue intérieure de l'atelier de Taliesin East, Spring Green, Wisconsin. Taliesin East était la résidence d'été et l'atelier de Frank Lloyd Wright, de 1911 à sa mort en 1959.

Voyages initiatiques et quêtes intérieures

Déçus par un système qu'ils rejettent, Hervé Baley et Dominique Zimbacca vont dès lors, selon des modalités différentes, forger leur propre définition de l'organicité, et travailler à concevoir une architecture qui soit l'expression d'un rapport sensible entre l'homme et son habitat. En 1963, Hervé Baley se rend aux États-Unis avec son beau-frère et collaborateur, Daniel Ginat[15] (1936-2007), et leur ami le docteur Frédérick Leboyer (1918-2017) pour un voyage d'études consacré aux réalisations de F. L. Wright[16]. Bien que l'expérience américaine soit répandue chez les architectes français dès l'entre-deux-guerres, en particulier grâce à la création de la bourse Delano, elle s'attache en général peu, jusqu'au milieu des années 1960, à la découverte de cette architecture[17]. Durant deux mois, les trois amis visitent plusieurs dizaines de maisons et se rendent à Taliesin East. Les nombreuses photographies prises lors de ce voyage sont le prélude à une riche documentation des œuvres du maître, et certaines d'entre elles vont illustrer la première traduction de *L'Avenir de l'architecture* en 1966[18], second ouvrage de F. L. Wright traduit en français. C'est à partir de cette immersion concrète qu'Hervé Baley entame un subtil travail d'assimilation et d'adaptation des principes wrightiens, s'appropriant un vocabulaire avec lequel il composera au fil de ses réalisations.

Daniel Ginat, Hervé Baley, Ulvi Erguner et son fils à Side, Turquie, fin des années 1960. Les Erguner, proches des derviches tourneurs (*Mevlevis*) sont de père en fils des très célèbres joueurs de ney (flûte traditionnelle). Ulvi était un grand ami d'Hervé Baley. Quand son fils, Kudsi, s'est installé en France, il a suivi les cours de l'atelier Sens et Espace à l'ESA tout en continuant de jouer du ney et en consacrant sa vie au renouveau de la musique traditionnelle.

Toute sa vie durant, le voyage est vécu par Hervé Baley comme une initiation. Ce mouvement tant physique qu'intérieur correspond chez lui à la quête d'un approfondissement spirituel qu'il poursuit sans relâche par l'étude des philosophies orientales. Préside à cette recherche la figure de Georges Gurdjieff (1877-1949), dont il découvre les écrits à la fin de son adolescence au Brésil. L'attraction que ce maître spirituel a exercé sur Frank Lloyd Wright et sa dernière épouse Olgivana est sans doute un facteur d'intérêt supplémentaire de la part d'Hervé Baley. C'est en tout cas par l'intermédiaire de Georges Gurdjieff que Hervé Baley découvre le soufisme, dont il approfondit sa connaissance par des voyages fréquents en Turquie entre 1964 et 1977. Il y assiste à des cérémonies soufies qui nourrissent sa conception d'une organicité entendue à la fois comme mode de connaissance intime et moyen pour l'homme de se situer dans le cosmos[19]. Il livre d'ailleurs en 1966 plusieurs projets destinés à la réalisation à Konya (Turquie) d'un parc dédié à Djalal ad-Din Rumi, fondateur de l'ordre des Mevlevis, l'ordre soufi des derviches tourneurs et d'un mausolée consacré à la figure mythique de Nassr Eddin Hodja. Des années plus tard, Hervé Baley démontre à nouveau son attachement au soufisme lorsqu'il réalise en 1990 à Suresnes le Sanctuaire de l'Universel, un monument dédié à la mémoire de Noor Inayat Khan (1914-1944), fille aînée d'Hazrat Inayat (1882-1926), l'un des introducteurs du soufisme en Occident.

Sanctuaire de l'Universel, Suresnes, Hauts-de-Seine. Le Sanctuaire est élevé dans le jardin de la maison qu'occupait le musicien indien Hazrat Inayat Khan (1882-1926), l'un des introducteurs du soufisme en Occident. Réalisé en 1990 par Hervé Baley, il est consacré à la mémoire de Noor Inayat Khan, fille aînée d'Hazrat Inayat Khan, exécutée à Dachau le 12 septembre 1944 à l'âge de 30 ans. La forme particulière du Sanctuaire s'explique par une vision d'Hazrat Inayat Khan qui avait visualisé l'Universel sous forme de quatre bouddhas assis méditant, dos à dos, face aux quatre directions cardinales. Hervé Baley fera de cette vision le principe constructif de l'édifice.

Pour Dominique Zimbacca, lié au mouvement surréaliste par son frère Michel et par son amitié avec le photographe Gilles Ehrmann (1928-2005), ces années de formation intellectuelle sont davantage vécues de façon introspective. Il ne se rendra jamais aux États-Unis, privilégiant une connaissance théorique des réalisations de Wright. L'architecte revendique l'influence de figures tutélaires révélant un système de références plus large : « Comme il arrive souvent dans les familles, à mes parents directs je préférais encore mes grands-parents : Antonio [Gaudi] et Frank Lloyd [Wright], qui étaient considérés alors comme de vieux originaux[20] ». Il livre également sa propre définition de l'organicité dans plusieurs recueils.
L'un d'eux, *La connaissance organique ou la récréation permanente*[21], développe une histoire de l'humanité et de l'architecture qui débute sous la forme d'un « monde-ventre » des temps préhistoriques, où l'espace était « clos » et le temps « ouvert ». Cet état originel cède ensuite la place à une conception rationnelle de l'espace, établie durant l'Antiquité et toujours opérante de nos jours. L'architecture organique se présente donc comme le moyen pour l'homme de revenir à une relation harmonieuse avec son environnement, ou plus encore, selon les mots de Bruno Zevi, d'être « l'interprétation de la vie[22] ».

Contre Le Corbusier

Développée à partir de l'admiration des deux architectes pour l'œuvre de F. L. Wright, l'élaboration de leur doctrine architecturale puise également dans une réaction sans appel à l'influence de Le Corbusier. En 1965, au moment de la mort de l'architecte, la revue *Aujourd'hui, art et architecture*[23] leur offre une tribune qu'ils cosignent. Ils reprochent à l'architecte son « indifférence au site naturel, son goût des perspectives monumentales, son obsession des proportions, son ornementation surajoutée, [...] sa fidélité au « système ». Dans cet article à charge, et aux arguments parfois manichéens, l'architecture moderne est accusée de privilégier « la répétition », le « standard », et les « cités radieuses » de se dresser « indifférentes à l'environnement, inhumaines ». Hervé Baley et Dominique Zimbacca évoquent « un monde fermé, abstrait, centré sur un vide que l'habitant déraciné cherche à combler ». Pour eux, l'inventeur du Modulor a élaboré un art de la « clôture », et est « responsable » de réalisations industrialisées et sans âme. Derrière l'énumération des motifs de leur rejet apparaissent les principes autour desquels, en réaction, va s'organiser leur démarche, dont la constance peut être mesurée à ce réquisitoire livré cette fois en 1980 par Dominique Zimbacca[24] : il évoque alors « une production de masse utilisée [...] non pour répandre des chefs-d'œuvre mais [pour produire] des maisons vulgaires et laides ». La normalisation de l'architecture a eu pour conséquence « l'uniformisation des différences, le rabotage des reliefs, l'aplanissement des paysages et des hommes ».

LE TEMPS DES EXPÉRIENCES

1959, la naissance de l'Atelier d'Architecture et d'Aménagement.

Les deux jeunes architectes bénéficient au début des années 1960 d'une situation nouvelle. Le secteur de l'architecture privée cesse d'être exclusivement réservé aux agences dirigées par d'anciens Prix de Rome, qui conservent toutefois l'essentiel des commandes d'équipements publics et institutionnels. Cette mutation permet l'apparition de jeunes structures proposant une production architecturale nourrie de nouvelles influences. Jusqu'en 1959, la relation de Hervé Baley et de Dominique Zimbacca au monde professionnel s'est limitée à une observation critique, comme le rappelle *Aujourd'hui, art et architecture* au sujet de Zimbacca qui « rôde dans l'École des beaux-arts et vagabonde dans une multitude d'agences pour voir ce qu'il devait s'interdire de faire[25] ». Cette même année, ils fondent l'Atelier d'Architecture et d'Aménagement au 40 rue Henri-Barbusse, dans le 5e arrondissement de Paris, et livrent leurs premières réalisations. Il s'agit d'abord d'aménagement d'appartements ou de maisons, de création de mobiliers, dont en particulier un ensemble de meubles de salon en bois aux lignes géométriques pour la maison de M. Joliff à Plabennec (Finistère) ou pour l'appartement de M. Pansu rue de la Bûcherie à Paris[26]. En 1960, deux commandes leur permettent des propositions plus audacieuses dans lesquelles sont reconnaissables certains éléments qui caractériseront par la suite leur architecture, comme le recours à des principes géométriques qui évoquent la croissance d'un élément naturel. La première concerne l'appartement de Michel et François Gall[27] pour lequel ils conçoivent plusieurs objets (luminaires, fauteuil, chaise) en bois et en laiton (voir p. 102). La seconde est une réalisation plus importante, la maison de M. Résibois à Cholet (Maine-et-Loire) qui se caractérise par un toit aux pans affleurant le sol pour créer une enveloppe protectrice. La façade est animée de décrochements triangulaires, motif décliné dans les aménagements intérieurs, et en particulier pour les jardinières intégrées aux murs dont le rôle est de favoriser la porosité entre espaces intérieurs et extérieurs. L'appropriation de cette forme géométrique qui évoque la formation de cristaux permet le développement d'un motif à la fois structurel et ornemental. Elle est le fondement de l'art de Baley et de Zimbacca et représente pour eux l'essence même de l'organicité car elle exprime un sentiment vitaliste dont l'architecture se fait l'interprète. Bien que leur collaboration professionnelle cesse très rapidement, en 1962, sans obérer leur amitié, elle constitue pour chacun d'eux le temps d'une interprétation personnelle de l'héritage wrightien, probablement jusqu'à ce qu'un point de divergence conduise à leur séparation.

Aménagement d'appartement réalisé par Dominique Zimbacca, vers 1965. Pour cet appartement, non identifié, l'architecte redessine les volumes, leur apportant une sinuosité qui les personnalise. Le recours à des matériaux naturels, et en particulier au placage de bois et à la terre cuite, crée un décor sobre et chaleureux. Le mobilier a également été conçu par Dominique Zimbacca.

Dominique Zimbacca, architecte, artisan et poète

Après son départ de l'agence et en l'absence de commandes architecturales, Dominique Zimbacca se consacre au mobilier et à l'aménagement d'appartements. Revendiquant une dimension artisanale, il crée des meubles uniques souvent à partir de matériaux de récupération, à l'écart de tout réseau de production et de diffusion[28]. Prônant « un langage de menuisier, de charpentier[29] », il dessine des meubles imposants, très architecturés et dont l'aspect évoque à dessein de

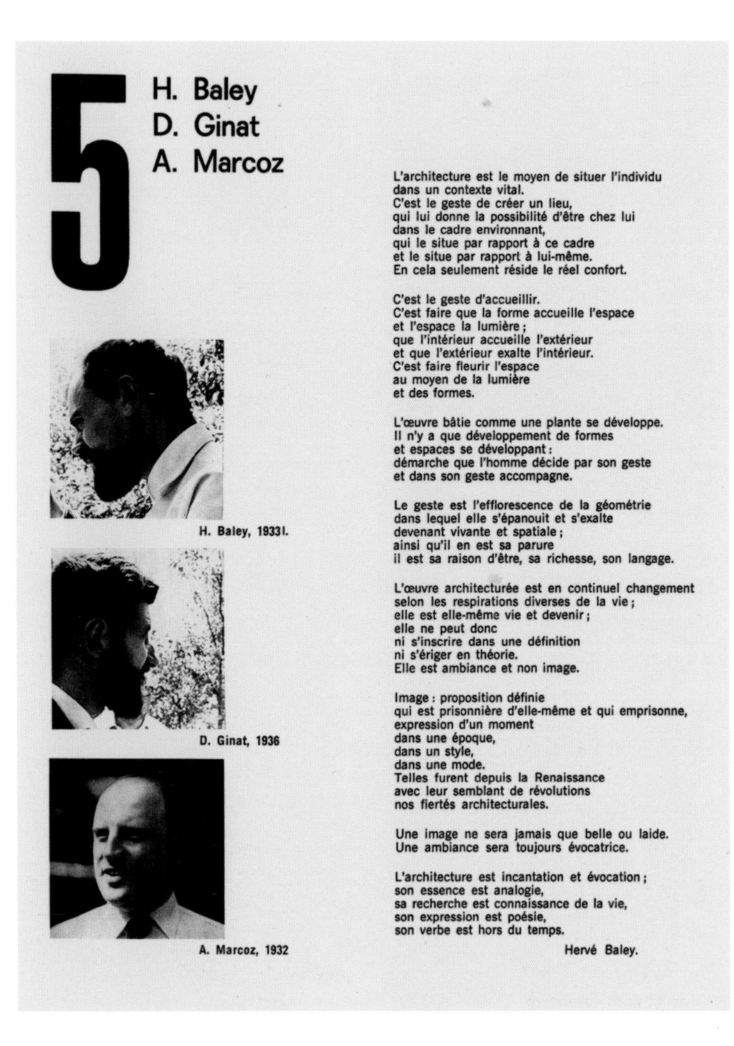

5

H. Baley
D. Ginat
A. Marcoz

H. Baley, 1933.

D. Ginat, 1936

A. Marcoz, 1932

L'architecture est le moyen de situer l'individu
dans un contexte vital.
C'est le geste de créer un lieu,
qui lui donne la possibilité d'être chez lui
dans le cadre environnant,
qui le situe par rapport à ce cadre
et le situe par rapport à lui-même.
En cela seulement réside le réel confort.

C'est le geste d'accueillir.
C'est faire que la forme accueille l'espace
et l'espace la lumière ;
que l'intérieur accueille l'extérieur
et que l'extérieur exalte l'intérieur.
C'est faire fleurir l'espace
au moyen de la lumière
et des formes.

L'œuvre bâtie comme une plante se développe.
Il n'y a que développement de formes
et espaces se développant :
démarche que l'homme décide par son geste
et dans son geste accompagne.

Le geste est l'efflorescence de la géométrie
dans lequel elle s'épanouit et s'exalte
devenant vivante et spatiale ;
ainsi qu'il en est sa parure
il est sa raison d'être, sa richesse, son langage.

L'œuvre architecturée est en continuel changement
selon les respirations diverses de la vie ;
elle est elle-même vie et devenir ;
elle ne peut donc
ni s'inscrire dans une définition
ni s'ériger en théorie.
Elle est ambiance et non image.

Image : proposition définie
qui est prisonnière d'elle-même et qui emprisonne,
expression d'un moment
dans une époque,
dans un style,
dans une mode.
Telles furent depuis la Renaissance
avec leur semblant de révolutions
nos fiertés architecturales.

Une image ne sera jamais que belle ou laide.
Une ambiance sera toujours évocatrice.

L'architecture est incantation et évocation ;
son essence est analogie,
sa recherche est connaissance de la vie,
son expression est poésie,
son verbe est hors du temps.

Hervé Baley.

Page d'ouverture de l'article consacré à l'Atelier d'Architecture et d'Aménagement par Patrice Goulet dans *Aujourd'hui : art et architecture*, n° 54 « France 1 », septembre 1966, p. 64-81. Dans ce texte introductif, Hervé Baley exprime de façon poétique sa vision de l'architecture, tissant métaphoriquement des liens entre croissance organique et acte d'habiter.

lourdes sculptures primitives. Ceux-ci s'intègrent à des aménagements d'appartement dans lesquels le choix de teintes minérales et les effets de matière créent un espace unifié. À l'heure de la démocratisation du design et de l'utilisation croissante de matériaux synthétiques, cette production singulière accède difficilement à la visibilité. En 1963, une exposition de mobilier réalisé en collaboration avec Françoise Sée à la galerie Meuble-Architecture-Installation, puis une seconde en 1965 à la galerie Jeanne Ostier en son seul nom, lui apportent toutefois une certaine reconnaissance critique. Découvert par André Bloc (1896-1966)[30] à cette occasion, le travail de Dominique Zimbacca va faire l'objet d'un reportage complet par Patrice Goulet et Claude Parent (1923-2016) dans le numéro d'avril d'*Aujourd'hui, art et architecture*[31]. Un article intitulé « Architecture-Sculpture » analyse avec acuité la démarche créatrice de Zimbacca qui « tend à faire surgir un ordre exaltant entre l'homme, la nature, le travail et l'architecture ». Le mobilier est « le premier palier auquel il a pu appliquer sa philosophie », et « le meuble devient [...] partie constitutive de l'architecture et partie fondamentale de l'habitation ». Cette recherche ne le quittera plus et Dominique Zimbacca la portera à son point de perfection lorsqu'en 1979 Edmond Lay lui demande de réaliser le mobilier de la maison Auriol, à Gabaston (Pyrénées-Atlantiques).

Hervé Baley et la poétique de l'espace

L'agence, désormais dirigée par Hervé Baley, associé avec Daniel Ginat et Alain Marcoz (1931-1993)[32], va développer son activité essentiellement dans le secteur de la maison individuelle, s'adressant à une clientèle disposant de moyens modestes mais désireuse de posséder une maison « qui ne ressemble pas aux autres »[33].

En 1966, dans un numéro d'*Aujourd'hui, art et architecture*, intitulé « France 1 », Patrice Goulet, que Dominique Zimbacca a introduit auprès d'Hervé Baley, consacre à ce dernier un reportage très complet[34], à la fois synthèse de son approche théorique et présentation de ses œuvres. Dans un texte liminaire aux accents poétiques, l'architecte y expose sa conception existentielle de l'architecture : « L'architecture est le moyen de situer l'individu dans un contexte vital » et son interprétation de l'enseignement tiré de l'observation des œuvres de F. L. Wright. Comme chez Wright, l'organicisme revendiqué par Hervé Baley s'élabore à partir d'une utilisation systématique de la géométrie, au service d'un développement architectural inspiré de la nature, mais dans cet article il ajoute à ce principe une notion plus personnelle. En formulant le concept d'« ambiance », Baley dévoile son ambition de proposer une architecture dont l'appréhension fait appel aux sens et permet de recréer une harmonie disparue entre l'homme et son environnement. L'article présente l'atelier et l'appartement de la rue Henri-Barbusse qui illustrent en particulier ce concept, mêlant étroitement architecture et mobilier sans céder à la facilité de l'ornementation. On y découvre une structuration de l'espace par l'imbrication de planches de bois destinées à créer des lignes de fuite horizontales et verticales, un jeu entre textures et couleurs des matériaux, et une utilisation savante de la lumière dont les sources sont multipliées. La visite de ce lieu demeure pour tous ceux qui l'ont connu une expérience inoubliable. Les photographies suivantes sont celles de l'appartement Zimmerman rue du Docteur-Blanche à Paris, dans le XVIe arrondissement, qui offre une variation plus minérale à partir du même concept d'utilisation de l'espace. Son aménagement est organisé à partir d'un plan ouvert, dont les espaces sont uniquement caractérisés par un subtil jeu de niveaux.

Dans l'entrée de l'appartement d'Hervé Baley, un lutrin accueille une photographie de Georges Gurdjieff.

La présentation des réalisations et des projets architecturaux est accompagnée de courts paragraphes rédigés par Hervé Baley qui précise l'essence de sa démarche : mise en œuvre d'une poétique de l'espace et fluidité de circulation au profit de l'élaboration d'une architecture sensible. Deux ans plus tard, ces notions fonderont son enseignement à l'École spéciale d'architecture (ESA).

L'organisation de l'article permet aussi de distinguer deux typologies dont la compréhension est facilitée par la présence de plans et de maquettes. Le premier groupe (pp. 52, 56, 64 et 67) est élaboré à partir d'un plan simple. Ces maisons, dans lesquelles se lit l'influence des maisons dites usoniennes de F. L. Wright, sont formées de volumes imbriqués et couvertes de toits plats à larges débords. Elles se caractérisent par leur horizontalité et des façades animées de nombreux décrochements, percées de larges baies vitrées.

Le second groupe (pp. 54, 60, 62 et 69) développe un plan conçu à partir d'une trame triangulaire. L'image des facettes d'une gemme évoquée à leur sujet par Hervé Baley rend bien compte de la complexité du volume de ces maisons où angles concaves et convexes s'interpénètrent. Les toitures sont quant à elles formées d'une suite de plans triangulaires et souvent surmontées d'une importante cheminée, pivot central de l'habitation. Ces maisons sont réalisées en béton, en brique, mais surtout en blocs de Siporex, béton cellulaire dont l'architecte apprécie la facilité de mise en œuvre et la valeur esthétique, sa blancheur et son fini très lisse conférant un aspect unifié à l'ensemble de la construction. L'attention portée au site par l'architecte n'est toutefois plus perceptible aujourd'hui, l'environnement de ces maisons s'étant considérablement urbanisé.

Hervé Baley, engagé dans le développement de l'activité de son agence, affirme son intérêt pour la contre-culture architecturale américaine dans l'article « Expressions américaines[37] » qu'il cosigne avec Gilbert Cordier[38], et qui précède de quelques semaines sa participation à l'occupation du théâtre de l'Odéon en mai 1968. Sur la scène architecturale française, le bouleversement – mené par les élèves de l'École des beaux-arts – aboutit en quelques semaines à la disparition définitive de la section architecture de cette école au profit de la création des unités pédagogiques d'architecture (UPA) sur tout le territoire[39]. Cette transformation concerne également les institutions privées, comme l'École spéciale d'architecture[40] (ESA). Désormais cogérée par les enseignants et les élèves, l'ESA est placée sous la direction de Marc Emery (1934-2014), architecte et rédacteur en chef de *L'Architecture d'aujourd'hui*, qui renouvelle la quasi-totalité de l'équipe enseignante. Il privilégie alors le recrutement de personnalités étrangères aux anciens circuits officiels, et nomme Hervé Baley directeur d'atelier à la rentrée 1968, à charge pour lui « d'inventer un enseignement qui n'existe pas[41] ».

LA REVUE *AUJOURD'HUI, ART ET ARCHITECTURE*

La revue *Aujourd'hui, art et architecture*, créée par André Bloc en 1955, a joué un rôle essentiel pour la reconnaissance de la diversité de l'architecture contemporaine et la promotion de la jeune scène architecturale française. La publication, animée par Claude Parent et Patrice Goulet, également grand admirateur de Frank Lloyd Wright, s'adresse à un public d'architectes et d'amateurs d'art. De tirage modeste (autour de 7 000 exemplaires), elle présente jusqu'en 1967, par l'intermédiaire de numéros thématiques – « Italie » et « Grande Bretagne » en 1965, et les deux années suivantes « Espagne », « France », « USA » et « Allemagne » – une autre facette de la modernité architecturale internationale. Moins confidentielle, la revue *L'Architecture d'aujourd'hui*, fondée en 1930 et appartenant également à André Bloc, est diffusée au début des années 1960 à 25 000 exemplaires et possède un lectorat de praticiens. Par l'intermédiaire de numéros thématiques comme celui consacré à l'architecture fantastique en 1962[35], elle présente les réalisations d'architectes tels que Bruce Goff (1904-1982), Herb Greene (né en 1929) et Paolo Soleri (1919-2013), et participe au renouvellement des sources d'influence d'une partie de la jeune génération d'architectes français[36].

Séance d'exercices corporels dans l'atelier haut de la rue Henri Barbusse, vers 1988.

Hervé Baley, inventeur d'un « enseignement qui n'existe pas »

Durant plus de vingt ans, Hervé Baley anime un atelier pédagogique au sein de l'École, qu'il baptise immédiatement l'atelier Sens et Espace, et à partir duquel il va initier jusqu'en 1990 plus de 115 étudiants à sa propre conception de l'architecture organique. Fondé sur une approche sensible de l'espace, son enseignement fait une large place à l'expérimentation. Des exercices physiques permettent aux étudiants de prendre conscience des trois dimensions qui constituent l'être humain, devenues chez Hervé Baley « frontalité, dorsalité et latéralité ». La pratique du dessin, baptisée « exercice graphique » et assimilée à une forme d'écriture automatique, est aussi érigée en méthode[42].

Libre de développer une pédagogie novatrice, Hervé Baley propose à ses élèves de vivre l'expérience d'une installation muséographique. En 1969, dans le hall de l'ESA est inaugurée une exposition consacrée à Bruce Goff (1904-1982), qui reçoit la visite de l'architecte américain[43]. Cet événement préfigure l'organisation en 1977 de l'exposition « Frank Lloyd Wright. Dessins, 1887-1959 » par Hervé Baley et ses étudiants, qui consiste en l'accueil d'une exposition conçue par l'Institut d'analyse architecturale de l'université de Naples et la Frank Lloyd Wright Memorial Fondation de Taliesin West. Dans ses notes relatives à l'organisation de l'exposition, aboutissement de son action en faveur de la redécouverte de l'œuvre de l'architecte en France,

L'atelier Sens et Espace à l'École spéciale d'architecture, vers 1977.
L'aménagement et le mobilier de l'atelier ont été conçus et réalisés par les élèves d'Hervé Baley. L'atelier est détruit en 1984 dans le cadre d'un chantier destiné à réunir l'ESA et les écoles de l'Union centrale des arts décoratifs (UCAD) ; les cours se tiennent alors dans un Algeco disposé sur le boulevard Raspail, jusqu'au licenciement d'Hervé Baley en 1990.

Hervé Baley, Robert Bordaz (à gauche) et René Drouhin lors de l'inauguration de l'exposition « Frank Lloyd Wright. Dessins, 1887-1959 ». Président de l'Union centrale des arts décoratifs de 1975 à 1989, Robert Bordaz (1908-1996) présida également l'École spéciale d'Architecture de 1983 à 1989. Ami d'Hervé Baley, René Drouhin (1923-2015) était ingénieur à la Compagnie de Saint-Gobain, et membre du groupe Gurdjieff de Paris.

Hervé Baley justifie à nouveau son admiration pour celui qu'il considère comme le « précurseur et fondateur de l'architecture américaine », dont les réalisations sont « l'affirmation de l'architecture comme œuvre d'art[44] ». Entièrement aménagé par ses élèves, le hall de l'ESA devient le lieu d'une mise en espace des dessins du maître et celui d'une application concrète de l'enseignement expérimental délivré par Hervé Baley (p. 26).

Dominique Zimbacca, l'expérience d'un enseignement communautaire

Décidé à favoriser la découverte d'autres approches architecturales, Hervé Baley sollicite Dominique Zimbacca pour une série de rencontres informelles à l'ESA entre 1969 et 1970. L'architecte vient alors d'achever la conception de sa première réalisation architecturale, le centre paroissial Jean-XXIII, à Saint Quentin (Aisne), installé au cœur de la ZUP de l'Europe, et dont les plans signés de Jean Faugeron ne le mentionnent que comme « collaborateur »[45] (p. 78). Pourtant, un entretien dans *Architecture* en 1977 lui restitue cette église semi-enterrée, où s'impose l'image d'un enracinement. L'architecte y applique sa doctrine architecturale fondée sur les relations de l'homme à son milieu : l'organisation intérieure rompt avec un mode de disposition en nef pour favoriser la notion d'assemblée humaine réunie autour du célébrant[46]. Cette formule, déjà élaborée par Georges-Henri Pingusson pour le projet de l'église Jésus-Ouvrier d'Arcueil en 1938, s'est diffusée durant les années 1960 en France malgré une réaction assez forte du clergé contre ces partis novateurs[47].

C'est cette même conviction qui porte Dominique Zimbacca, toujours en 1969, à créer avec un petit nombre d'étudiants de l'ESA un groupe communautaire nommé Art et Habitation. Cette initiative, qu'il considère comme l'aboutissement de sa philosophie organique de l'architecture et du travail, perdure pendant trois ans. Installé en Seine-et-Marne, à Vulaines-sur-Seine[48], le groupe formé de quatre étudiants – qui seront rejoints l'année suivante par six autres – est séduit par sa promesse d'inventer une façon anticonformiste de vivre et de produire. En rupture avec l'ESA, dans un grand isolement et des conditions matérielles rudes, le groupe est organisé autour de Dominique Zimbacca. Dans une ambiance qui mêle ésotérisme et enseignement de l'architecture, les élèves sont initiés à l'œuvre de Wright, lors de séances de dessin. L'architecte partage avec eux sa connaissance du travail du bois, via l'apprentissage de la menuiserie appliquée à la réalisation de meubles. Certains élèves participent à la conception de projets, comme celui d'une première maison réalisée à Châlons-sur-Marne (Marne) en 1971[49], ou celui plus ambitieux de la maison de M. Michard, à Corbeil-Essonnes[50], bel exemple de « maison-pont » à l'horizontalité affirmée que Dominique Zimbacca achève seul en 1976 après que de nombreuses dissensions aient conduit à la brusque dissolution du groupe en 1973.

Dominique Zimbacca sur le chantier de la maison Michard à Corbeil-Essonnes, en 1976.

Vue de la maison construite par Edmond Lay en 1980 pour Guy Auriol à Gabaston (Pyrénées-Atlantiques). En réponse à la demande de l'architecte, Dominique Zimbacca a conçu le mobilier de cette maison.

DES CRÉATEURS RATTRAPÉS PAR LA RÉALITÉ

Une reconnaissance tardive pour Dominique Zimbacca

L'échec de ce projet communautaire, ainsi que Zimbacca le désigne lui-même dans ses *Écrits Introspectifs*[51], inaugure une longue période d'inactivité, interrompue en 1975 par le chantier de l'appartement de M. Jacquemaire, place des Vosges, réalisé en collaboration avec Patrice Goulet.

Ce n'est qu'en 1979, lorsqu'Edmond Lay (né en 1930) l'invite à participer à l'aménagement de la maison Auriol, à Gabaston (Pyrénées-Atlantiques)[52] que débute pour Dominique Zimbacca un nouveau cycle créatif. Edmond Lay est alors un architecte consacré, promoteur d'une architecture organique qui partage un grand nombre de principes avec les réalisations de F. L. Wright, rencontré en 1958 aux États-Unis. Faisant face au massif des Pyrénées, la maison Auriol évoque un véritable « rêve de pierre » tant l'utilisation de ce matériau compose un paysage minéral, harmonieux et poétique. Le mobilier de Dominique Zimbacca[53] joue des angles des pièces et de la gamme chromatique des murs, s'y intègre parfaitement et concourt à faire de cette maison une œuvre d'art totale. Cette reconnaissance de la part d'un confrère estimé a pour l'architecte valeur de confirmation de son engagement. Il le réaffirme dans *L'Architecture d'aujourd'hui*[54] en 1980 : « Malgré les progrès foudroyants de la production de masse, malgré les destructions des villes et des paysages, malgré la menace de la modernité, voici aussi, peut-être, un nouvel art pour laisser espérer que le pire n'est pas toujours sûr, parce qu'il est bien rare que les choses arrivent telles qu'on les attendait ».

Sa volonté de sortir d'une marginalité assumée jusqu'ici est sans doute due à ce dialogue fructueux avec Edmond Lay. Elle se traduit par son inscription en 1982 au tableau de l'ordre des architectes d'Île-de-France. Entre 1980 et 2000, Dominique Zimbacca réalise alors quinze maisons, principalement dans cette région,

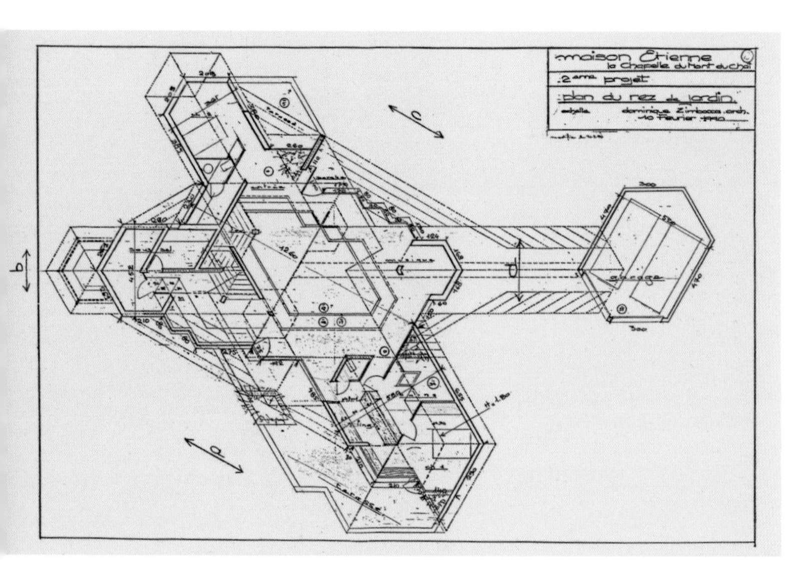

Plan du deuxième projet pour la maison de Monsieur Etienne, à La Chapelle-du-Mont-du-Chat (Savoie).

toutes conçues selon un plan élaboré à partir d'une trame hexagonale et qui reprennent la même organisation : un espace central carré ou rectangulaire auquel l'architecte adjoint des développements se terminant par des angles à 60 degrés.

Le développement de ce plan est a priori infini, à l'image de celui du développement des formes de la nature. Cette analogie est parfois totalement explicite, comme le plan de la maison de La Chapelle-du-Mont-du-Chat (Savoie) (p. 94) qui reprend la forme d'un oiseau en vol. Toutes ces maisons répondent à la volonté de l'architecte d'échapper à l'uniformité et de répondre aux besoins des futurs habitants : « Je veux une maison [...] qui a son opinion et ses petites manies. Une maison qui a son caractère et sa personnalité et qui dise à chacun sa façon de penser »[55].

En 1980, sa première réalisation à Yerres (Essonne) porte le nom de Hameau de Bellevue (p. 88). Sur un terrain de 2 500 m² hérité de son père, où il habite et travaille, Dominique Zimbacca dessine un lotissement, reprise d'un projet datant de 1974[56] de « six maisons en forme de parapluie [...] intimes mais largement ouvertes sur le soleil ». Les documents promotionnels qu'il dessine et diffuse dans des salons comme celui de la Maison individuelle, illustrent l'évolution du projet, leur comparaison avec le résultat final permet d'apprécier la permanence des visées de l'architecte. Les trois maisons construites démontrent sa maîtrise des principes organiques à l'élaboration desquels il a consacré son existence.

La série de maisons individuelles qui suit cette première réalisation est destinée à une clientèle aisée, désireuse de vivre dans une maison atypique. Chacune de ces réalisations est une variation à partir du schéma inauguré à Yerres, et modulé en fonction des moyens et des besoins des futurs habitants, mais également

Document promotionnel réalisé par Dominique Zimbacca pour le lotissement du Hameau de Bellevue. Selon ce dessin datant du début des années 1980, quatre maisons étaient initialement prévues.

des possibilités des terrains qu'on lui confie. Toutefois, les relations sont difficiles avec les commanditaires, à qui il impose parfois ses vues avec intransigeance, comme lors du chantier de la maison de La Chapelle-du-Mont-du-Chat (Savoie) : « Vous aimez l'art. Vous devriez donc pouvoir admettre que plus de trente ans d'ascèse d'une pratique sans aucune concession, quoique d'un volume assez modeste, dont deux tiers dans une grande pauvreté matérielle, autorise une certaine liberté de ton[57] ».

Publicité réalisée par Dominique Zimbacca, vers 1980.
Sur cette annonce, Dominique Zimbacca juxtapose une partie du projet dessiné pour le Hameau de Bellevue avec l'aménagement d'une HLM à Clichy-sous-Bois (Seine-Saint-Denis) en 1964.

La généralisation dans la société d'un discours sensible à l'environnement et aux relations entre l'homme et son milieu favorise cette considération nouvelle pour les propositions de Dominique Zimbacca. L'exemple de la maison qu'il réalise dans le cadre d'un projet d'auto-construction porté par les habitants du lotissement La Hayette à Jouy-le-Moutier (Val-d'Oise) illustre cette nouvelle attention. La maison de M. Colmont, du nom de son commanditaire, se trouve au milieu de sept autres, qui respectent une harmonie de taille et de gamme chromatique et partagent jardins et espaces de circulation. Toutes ont recours aux mêmes techniques constructives dictées par l'utilisation de blocs de Siporex, l'omniprésence du bois et des toitures recouvertes de shingle[58] – dont la présence peut être vue comme une référence à l'architecture vernaculaire américaine – ou plus rarement de cuivre. Chacune fait l'objet d'une intégration subtile dans un site naturel, où elle est soustraite aux regards, par l'utilisation de la déclivité du sol. Couvertes de toits dont les longs pans touchent presque terre, ces maisons de plain-pied se proposent comme des abris posés sur l'herbe. Les murs sont percés de baies qui brouillent la frontière entre l'extérieur et l'intérieur et offrent une multitude de vues. Marquée par la recherche de fluidité, l'organisation intérieure se caractérise par une vaste pièce au centre de laquelle la cheminée joue, matériellement et symboliquement, le rôle de pivot central. Cet espace est encore unifié par le liège noir souvent apposé sur toute la surface des plafonds. La différenciation des fonctions n'est marquée que par des variations de niveaux et la présence de mezzanines ou de loggias. Dans certaines maisons (pp. 86 et 92), le foyer de la cheminée se trouve en contrebas d'une succession de gradins destinée aux réunions familiales, selon le dispositif mis en œuvre au centre paroissial Jean-XXIII.
Seul le plan de la maison de Tourouvre (p. 100), que Dominique Zimbacca habite de 1995 jusqu'à sa mort, inaugure une nouvelle composition. Pour cette dernière réalisation qui emprunte à la typologie des maisons-pont réalisées à Corbeil-Essonnes et à Boussy-Saint-Antoine, l'architecte réinterprète, par l'enchaînement de modules circulaires, l'idée de prolifération au cœur de son œuvre.

Hervé et Françoise Baley, vers 1970.

Dessin préparatoire pour le garage de Monsieur Giuliani, Paris. Vers 1975.

Hervé Baley : limites et perspectives

Si le milieu des années 1970 est pour Dominique Zimbacca le point de départ d'un épanouissement professionnel, cette période correspond pour Hervé Baley à un repli sur son enseignement, que ne laissaient pas présager les réalisations de la précédente décennie.

En 1972, l'arrivée de Patrice Goulet au sein de l'Atelier d'Architecture et d'Aménagement marque toutefois le début de nouveaux chantiers. Daniel Ginat, Hervé Baley et Patrice Goulet conçoivent plusieurs aménagements d'appartements, dont celui du cinéaste Serge Roulet et du cabinet d'avocats Bomsel (p. 74). Des projets d'immeubles comme le garage Giuliani sont à nouveau l'occasion d'éprouver le concept d'ambiance élaboré au début des années 1960 et surtout de travailler à l'élaboration de plans circulaires, dont seul celui de Sartène, en Corse, sera réalisé en 1975 (pp. 43 et 44).

Mobilisés pendant presque deux ans à la conception du centre de recherches pour l'Omnium de prospective industrielle (OPI) à La Flamengrie (Aisne), les trois associés imaginent un plan en courbe qui intègre les différents laboratoires. En 1974, l'abandon du projet est un échec pour l'agence, que quitte peu après Patrice Goulet. Très absorbé par son activité d'enseignant à l'ESA, Hervé Baley, inscrit au tableau du conseil de l'Ordre des architectes en 1977, assure avec difficulté le fonctionnement de l'agence en continuant de réaliser des restaurants de centres commerciaux, avec Didier Milon, un de ses élèves.

Le changement de direction de l'École en 1982 et la grave crise financière qu'elle traverse marque la fin de la liberté dont jouissait jusqu'alors Hervé Baley. Dans ce contexte, il modifie sa pédagogie et privilégie un enseignement magistral, accordant plus d'importance aux conférences. Ce mouvement annonce les années introspectives qu'il consacre essentiellement à l'écriture de sa démarche sensible et spatiale. Théorisée en 1985 sous la forme du *Glossaire pour la gouverne des participants à l'atelier « Sens et Espace »*[59], cette synthèse développe ce qui constitue l'essence de son enseignement. Toutefois, isolé au sein d'un établissement dont la politique a radicalement changé, Hervé Baley est licencié en 1990 et l'atelier Sens et Espace fermé 22 ans après sa création. La rareté des commandes qu'on lui confie le pousse à s'installer au Maroc, où il retrouve un groupe de ses anciens élèves de l'ESA, et à débuter une dernière période de production architecturale, encore peu documentée.

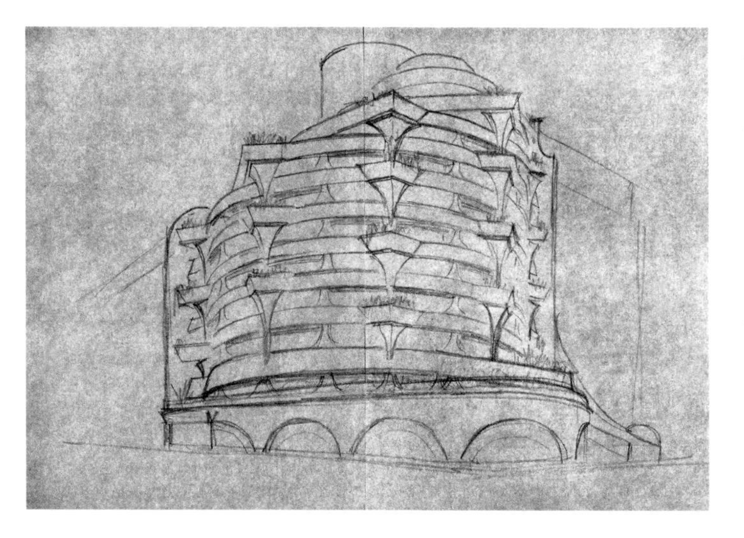

En tentant de dissiper l'impression de marginalité qui s'attache aux itinéraires d'Hervé Baley et Dominique Zimbacca, ce travail éclaire un interstice méconnu de l'histoire de l'architecture française, à une époque où tous deux ne sont pourtant pas seuls à emprunter une voie divergente. En effet, puisant leurs

Maquette pour le projet de centre de recherches pour l'Omnium de prospective industrielle (OPI), La Flamengrie (Aisne), 1972-1973.
Pour ce projet, l'Atelier d'Architecture et d'Aménagement conçoit un plan circulaire dont le développement permet l'intégration des différents laboratoires et espaces de travail.

Dessin préparatoire pour l'aménagement intérieur du centre de recherches pour l'Omnium de prospective industrielle (OPI), La Flamengrie (Aisne), 1972-1973. Abandonné en 1974, ce projet comprenait la réalisation des espaces intérieurs et du mobilier. À l'image du plan circulaire du bâtiment, les volumes internes adoptaient également des formes courbes.

références dans le vocabulaire de Frank Lloyd Wright mais également dans celui d'Alvar Aalto (1898-1976), d'autres architectes emploient au même moment le langage alternatif que Bruno Zevi attribue aux représentants d'un ordre anticlassique, en opposition aux tenants de l'architecture moderne. Si l'absence de reconnaissance d'Hervé Baley et de Dominique Zimbacca est à minorer, elle trouve toutefois un début d'explication dans leur rupture avec le circuit traditionnel de formation, car d'autres architectes « wrightiens », diplômés de l'École des beaux-arts, ont au même moment connu des carrières nationales et internationales. Parmi eux, il a été question dans cette étude d'Edmond Lay, élève de Louis Arretche (1905-1991) et également de Claude Petton (1934-2003), qui comme Hervé Baley fréquenta l'atelier de Georges-Henri Pingusson.

Ainsi, même s'il reste expérimental, l'apport d'Hervé Baley et de Dominique Zimbacca à l'élaboration d'une réflexion sur le logement individuel éloigné des standards n'est donc pas isolé, et l'intérêt actuel pour une architecture plus respectueuse de la relation entre l'homme et son habitat est sans doute porteur de l'espoir qu'une attention nouvelle soit accordée à ces expressions divergentes. L'exemple de Cantercel (pp. 46 à 49) (Hérault), site expérimental d'architecture créé au milieu des années 1990 par deux anciens élèves d'Hervé Baley et accueillant chaque année plusieurs dizaines d'étudiants internationaux intéressés par une approche alternative de l'architecture, plaide en tout cas pour une réévaluation.

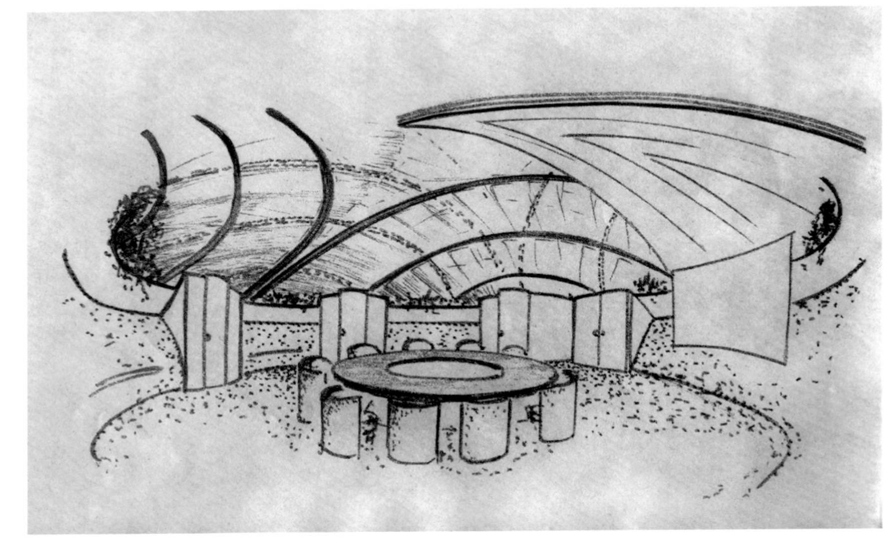

Le voyage américain et la scène wrightienne, 1950-1970

CAROLINE MANIAQUE

Comme leurs collègues d'autres champs disciplinaires, les élèves architectes en France, la plupart inscrits à l'École nationale supérieure des beaux-arts à Paris ou dans les écoles régionales des beaux-arts, à l'École spéciale d'architecture ou tout juste diplômés, sont partis entre 1950 et 1975 à la découverte des États-Unis, détour qui constituait un moment de formation identitaire, une étape de la réflexion sur soi, un facteur de distinction[60]. Plusieurs d'entre eux ont inclus dans leurs visites un pèlerinage wrightien, à Chicago et ailleurs, mais leur réaction à l'architecture du maître américain dépendait en partie de leur préparation européenne.
Les raisons de voyager et de séjourner aux États-Unis sont alors nombreuses : observer une civilisation souvent décrite comme une anticipation de ce que serait le futur européen ; voir de ses propres yeux des bâtiments présentés dans les revues d'architecture européennes ; rencontrer les architectes célèbres et célébrés dans les publications ; s'informer des méthodes de préfabrication ; recevoir une formation universitaire. C'est aussi un moyen de mettre en perspective son propre pays et d'en faire la critique.
Les flux de la culture professionnelle partent dans plusieurs directions. Le premier conduit vers les universités prestigieuses et le travail intellectuel : Columbia University à New York, University of Pennsylvania à Philadelphie, Yale University à New-Haven, l'Illinois Institute of Technology à Chicago, University of California à Berkeley, Harvard University à Cambridge, Cornell University à Ithaca. La deuxième voie consiste à travailler auprès de grands noms de l'architecture : Frank Lloyd Wright, Louis Kahn, Paul Rudolph, Eero Saarinen. Une troisième possibilité se dessine : visiter les grandes métropoles et leurs lieux mémorables (surtout New York ou Chicago) ou des sites tels que Taliesin West (là où Frank Lloyd Wright exerçait). Même si la rencontre avec les grands maîtres est furtive, elle n'en laisse pas moins des traces indélébiles dans le cerveau de ces jeunes architectes, traces toujours prêtes à se révéler dès qu'il s'agit de marquer son identité par une distinction exceptionnelle (« J'ai rencontré Mies...[61] » ; « Frank Lloyd Wright est venu vers moi et m'a dit...[62] » ; « J'étais avec Louis Kahn le jour de la mort de Le Corbusier...[63] », « J'étais l'élève de Kahn...[64] »).

Vue de l'exposition « Frank Lloyd Wright. Dessins, 1887-1959 », présentée en 1977 dans le hall de l'ESA et dont la scénographie est réalisée par les élèves de l'atelier Sens et Espace.

Ceux qui choisissent d'intégrer les filières de l'architecture professionnelle ou des universités sollicitent des financements[65].

Parmi les architectes français visitant les États-Unis, plusieurs ont été formés dans la tradition du rationalisme structurel, pratiqué par Auguste Perret ou par Paul Tournon. Pour ces architectes, Frank Lloyd Wright était le grand pionnier d'une architecture renouvelée grâce aux nouvelles techniques. Prenons le témoignage de l'architecte Marion Tournon-Branly (1928-2016) sur son premier voyage en 1948. Il est caractéristique d'un type de voyages d'architectes allant de ville en ville, pour voir telle ou telle architecture, cherchant à rencontrer les architectes renommés. Élève de l'atelier Perret, elle est alors bénéficiaire d'une des dix bourses décernées annuellement par l'École des beaux-arts aux meilleurs élèves[66] :

> « Je voulais voir tous les bâtiments de Wright. Tous, tous, tous, mêmes ceux qu'il était en train de réaliser. J'ai donc basé mon circuit sur le pèlerinage des œuvres de Wright... avec de la neige, des choses épouvantables [...] et pas un sou parce qu'on avait 250 dollars par mois. [...] Je suis partie dans des conditions affolantes car je ne prenais que le *Greyhound bus*. Cela veut dire que toutes les deux heures, le bus s'arrêtait. J'ai fait tous les États-Unis comme cela, en dormant dans des dortoirs. [...] J'écrivais sans arrêt à mes parents et à celui que j'aimais. [...] J'écrivais aussi à celui qui était mon référent américain. Mon père [Paul Tournon, directeur de l'École des beaux-arts], ayant fait ses études en même temps que des Américains, avait gardé des très bons amis avec qui il était toujours en rapport et qui avaient tous réussi brillamment[67]. »

Dans ce témoignage on note l'importance des relations familiales et professionnelles qui intègrent le voyageur dans un réseau professionnel très formateur. L'itinéraire est strictement architectural, ponctué par la visite des bâtiments de Frank Lloyd Wright et la rencontre d'architectes « brillants ».

> « J'ai rencontré Wright ; j'ai été à l'Est et à l'Ouest. Neutra est resté un ami. [...] La seule chose désagréable que j'ai ressentie au cours de ce voyage, c'était la rencontre avec l'architecte allemand Mendelsohn, complètement anti-français[68]. »

Couverture du numéro spécial Frank Lloyd Wright, *The Architectural Forum*, janvier 1938.

Ses rencontres avec les plus grands architectes du moment – Frank Lloyd Wright, Richard Neutra, Louis Kahn – et sa connaissance des États-Unis ne pouvaient qu'inciter les Américains à choisir Marion Tournon-Branly, au cours des années 1970, comme enseignante puis directrice, dans la décennie suivante, du programme d'architecture des écoles d'art américaines à Fontainebleau[69]. Elle sera également invitée à enseigner plus de dix ans, au cours des années 1960, à la California Polytechnic University à San Luis Obispo, Californie[70]. Pour cette architecte, l'Amérique a ainsi joué le rôle d'accélérateur. Être étranger(e) aux États-Unis – et peut-être encore plus être une femme française voyageant en *Greyhound bus* et rendant visite aux architectes bien établis – permet de dépasser les hiérarchies préétablies. Par son témoignage, Marion Tournon-Branly illustre la capacité à accéder, aux États-Unis, à toutes sortes de cercles, de réseaux, les lettres d'introduction de son père servant de sésame. C'est là peut-être toute la différence entre le milieu français et la scène américaine où « tout est possible ».

L'empressement de Marion Tournon-Branly à voir toute l'architecture de Wright en 1948 est une attitude qui persiste encore au cours des années 1960 et 1970. Pour cet article, nous évoquerons les itinéraires de quelques-uns de ces voyageurs pris par cette attirance wrightienne. Mais Wright est « concurrencé », au tout début des années 1960, par la personnalité de Louis Kahn qui retient désormais l'attention, suivi ensuite d'autres scènes universitaires telles que les universités de Harvard à Cambridge, de Columbia à New York et de Californie à Berkeley.[71]

Comparée au reste de l'Europe – à l'Allemagne et aux Pays-Bas, notamment – la reconnaissance de l'œuvre de Frank Lloyd Wright est assez tardive en France, même si Le Corbusier s'était déjà intéressé à l'architecte américain dès 1915, sous l'influence d'Auguste Perret[72]. S'il est au départ identifié comme un précurseur et présenté comme un fervent supporter des modernes, Frank Lloyd Wright est ensuite classé, après la Seconde Guerre mondiale, comme leur opposant, au nom d'un humanisme dont les buts culturels sont perçus comme conservateurs[73]. Bruno Zevi voyait dans l'architecture de Wright et d'Erich Mendelsohn une opposition « organique » aux excès technologiques et fonctionnels de l'*International Style*.

Simultanément, les ouvrages de Wright contribuent à la diffusion de sa pensée architecturale. Si la première édition de son autobiographie n'est éditée qu'à 500 exemplaires, elle sera réimprimée en 1933 et 1938, à chaque fois à 2 000 exemplaires. La nouvelle édition de 1943 est tirée à 3 000 exemplaires et sera rééditée huit fois jusqu'en 1962. La réimpression de 1957 est la plus importante puisque le livre est sélectionné par l'USIS (United States Information Services, l'agence d'information américaine), pour faire partie des 350 livres représentant l'Amérique qui seront envoyés dans de nombreuses bibliothèques du monde entier[74]. Le livre est aussi publié en Angleterre par les éditions Faber and Faber avec un contrat signé en novembre 1943. Environ 30 000 exemplaires des différentes éditions de l'*Autobiography* sont vendus à l'aube des années 1960. C'est en 1943 que Wright donne à Bruno Zevi le droit de traduire et de publier son ouvrage en italien[75]. Le livre *The future of Architecture* sera traduit en français en 1966 et un volume sur ses dessins produit en 1977[76]. On arrive donc à 34 000 exemplaires si on additionne les éditions italiennes et françaises[77]. Les expositions contribuent également à la renommée de Wright, notamment celle présentée en Italie à Florence en juin 1951, qui circule ensuite pendant l'année 1952 pendant sept mois dans différentes villes, Zurich, Paris, Munich, Rotterdam, puis Milan, attirant entre 20 000 et 35 000 visiteurs dans chaque ville[78].

En France, la presse professionnelle s'intéresse à l'œuvre de l'architecte, suivant ainsi l'exemple de *Architectural Forum* en 1938 ou de la revue italienne *Metron* fondée par Bruno Zevi. Ainsi Louis-Georges Noviant prépare-t-il un numéro spécial sur Frank Lloyd Wright en 1952 pour la revue *Architecture française* (revue fondée par Michel Roux-Spitz en 1940) dans lequel il compare les fétichistes de la technologie aux tenants de l'organique[79]. En Allemagne aussi, Frei Otto lui consacre un article dans la revue *Neue Bauwelt* en 1952[80].

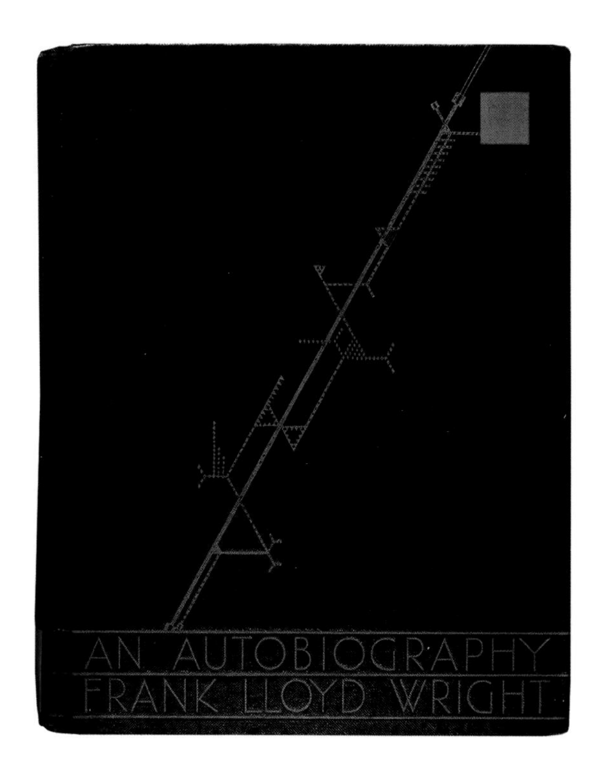

Page de couverture de l'ouvrage de Frank Lloyd Wright, *An Autobiography*, 1re édition, New York et Londres, Longman's, Green and Co, New York et Londres, 1932.

Couverture de *L'Architecture française*, « Frank Lloyd Wright », n° 123-24, 1952.

Vue prise en 2018 du musée Guggenheim, New York, réalisé par Frank Lloyd Wright en 1959.

Pourtant dans les cercles universitaires nord-américains de la côte Est, Wright semble être moins apprécié qu'en Europe. Georges Maurios raconte qu'en 1959, en compagnie de ses collègues étudiants de Harvard, il a tiré la langue, en signe de mépris, devant le musée Guggenheim de New York, avec l'encouragement de son professeur :

> « Quand on est allé faire un voyage avec l'école à New York, on était accompagné par trois ou quatre professeurs dont Jerzy Soltan. Il existe une photo de toute la classe devant le Guggenheim : on tirait la langue ! Cela veut dire qu'à la Graduate School of Design à Harvard, il ne fallait pas parler de Wright. On allait plutôt voir le Seagram de Mies et Johnson. [...] Wright c'était l'ennemi. Parce ce qu'il n'y avait que Corbu, c'était l'obscurantisme total de la part de ces gens-là[81] ! »

Élève de Louis Arretche à l'École des beaux-arts et fondateur de l'Atelier de Montrouge en 1958 avec Gérard Thurnauer, Jean Renaudie et Pierre Riboulet, Jean-Louis Véret (1917-2011) réalise en 1959 ces deux photographies de l'atelier de Frank Lloyd Wright, à Taliesin West, Scottsdale, Arizona.

Vue prise en 2006 de la maison Hollyhock, Los Angeles, Californie, réalisée par Frank Lloyd Wright entre 1919 et 1921.

Cependant, chaque architecte venant d'Europe semble devoir rendre hommage à Wright, comme l'exprime Bernard Huet : « Mes périples, qui me paraissent aujourd'hui être une suite de règlements de comptes, m'ont conduit à l'époque là où étaient mes obsessions. J'ai fait trois fois le tour des États-Unis à la recherche de Wright et je ne me suis senti quitte avec l'architecture américaine qu'après avoir découvert Sullivan[82]. »
Françoise Choay parle elle aussi de la figure de pionnier de Frank Lloyd Wright :

> « Il est le premier architecte américain de renom à rompre avec les styles européens, le premier qui ait dédaigné l'École des beaux-arts de Paris, [...] le premier qui ait directement influencé l'architecture européenne. [...] C'est le même désir d'affranchissement à l'égard de l'Europe qui [...] inspire son plan libre : plan qui nie les habitudes du XIXe siècle pour affirmer « organiquement » la personnalité de chaque famille, à la différence du plan libre qui servira plus tard à Le Corbusier à affirmer polémiquement la liberté d'une technique[83]. »

Elle confère une valeur supplémentaire à son plan libre (destiné au bien-être de la famille) par rapport au plan libre de Le Corbusier, une réponse d'ordre technique :

> « Wright est un pionnier de l'architecture moderne, mais l'affranchissement de la tradition prend chez lui une autre forme. La meilleure illustration en est sa conception du plan libre, lié non pas à une indifférenciation de l'espace interne, mais au contraire à sa particularisation. Le concept d'espace organique inspire toute l'œuvre de Wright. Cette organicité de l'espace intérieur, l'importance des murs et des surfaces pleines, le rôle des matériaux bruts naturels, le refus de toute typologie au profit d'une grande diversité, enfin l'enracinement dans le paysage, tels sont les éléments qui peuvent caractériser une œuvre...[84] »

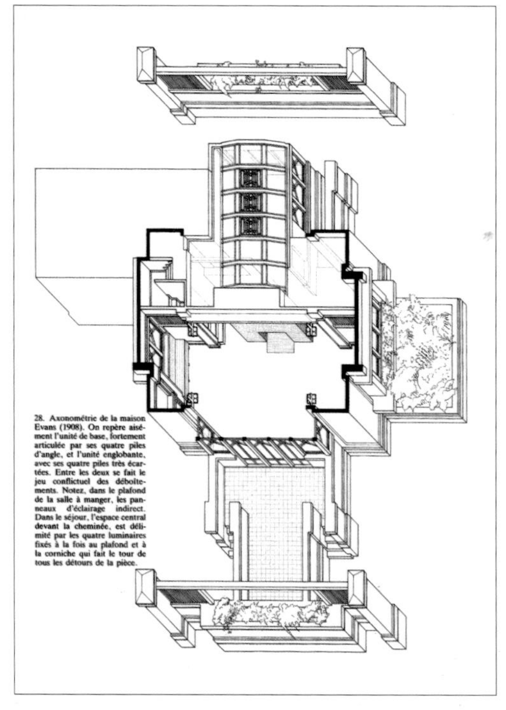

Jean Castex, *Frank Lloyd Wright. Le printemps dans la prairie*, Mardaga, 1985, axonométrie de la maison Evans p. 60.

Pour Jean Castex (né en 1942 à Alger), la découverte approfondie du maître de Chicago commencée dès 1967 lors d'un voyage aux États-Unis en compagnie de Philippe Panerai (un voyage organisé par la Grande Masse de l'École des beaux-arts et motivé par l'Exposition universelle de Montréal) s'affirme lors de son séjour d'un an aux États-Unis en 1968-69. Il note cependant avec malice : « Je suis allé visiter des bâtiments de Wright, mais discrètement parce que c'était impossible à l'époque de voir des architectes célèbres. [...] Il fallait être « contre » les architectes, « agents de pouvoir », « puissance dominatrice »...[85]

Son intérêt pour Wright se poursuit en France à l'occasion d'un travail de recherche suggéré en 1972 par Jean-Paul Lesterlin, alors en charge des recherches au sein de l'Institut de l'environnement[86]. Après un premier article sur Wright dans la revue *L'Architecture française* en 1974[87], il publie en 1985 *Le printemps de la Prairie House*. Dans l'introduction, il ne manque pas d'observer que :

> « Wright n'est plus de nos débats, [...] l'historiographie du Mouvement Moderne, trop occupée de légitimer son orthodoxie, n'a guère eu le temps de faire rendre raison à quelqu'un qui ne peut être pour elle qu'un apocryphe. Ce calme serein est propice au projet d'analyse. Même l'inclination la plus troublante pour cette architecture n'encourt que le léger reproche de la singularité[88]. »

Pour les étudiants de La Cambre, l'institut d'architecture de Bruxelles, le voyage à Taliesin s'impose, comme le rappelle Jean Dethier, se référant au début des années 1960 :

> « La plupart de mes copains ont fait ce que l'on appelait leur Grand Tour. Dans ma promotion (une douzaine), les deux tiers sont partis aux États-Unis, notamment deux sont allés chez Wright, dont Maurice Culot[89] ».

La scène wrightienne a son identité, ses *afficionados* et ses détracteurs. La rencontre avec l'architecture de Wright, paradoxalement, est vécue comme une alternative, comme un acte de rébellion à l'encontre des tenants de l'architecture moderne (pour certains, l'autre option sera Alvar Aalto). Dans le contexte de remise en cause générale du rationalisme moderne incarné par Le Corbusier, l'organicité wrightienne stimule les architectes :

« Wright s'oppose aux architectes de l'école internationale qui, émigrés d'Europe, ont donné à l'Amérique urbaine le visage que nous connaissons. [Il] s'inscrit dans la tradition de « l'anti-urbanisme » dont L. M. White a montré la permanence et la violence chez les intellectuels des États-Unis, de Emerson à Henry James[90]. »

C'est à l'occasion d'un voyage en Italie, en 1963, que Patrice Goulet, qui ne tardera pas à contribuer régulièrement à *L'Architecture d'aujourd'hui* et à *Aujourd'hui, art et architecture*, prend conscience de l'influence de Wright sur les architectes italiens. Son intérêt pour Wright se pérennise d'ailleurs puisqu'il y consacre son diplôme d'architecture soutenu en 1978[91]. « À l'image du choc que j'ai ressenti au cours de mes voyages en Orient, en découvrant un monde intensément, humainement solidaire, j'ai immédiatement reconnu mon pays dans l'œuvre de F. L. Wright. [...] Plus je l'ai pénétrée par les livres tout d'abord, puis au cours de mes deux longs voyages aux États-Unis, plus ma première impression s'est renforcée »[92], confesse Patrice Goulet. « Wright, hors du courant de l'actualité, guidé par une exigence toujours plus grande, approfondit sa compréhension, développe un langage, mieux encore, oriente toute son œuvre sur l'exaltation de l'homme et de la nature[93]. » Wright est perçu comme le promoteur de l'auto-construction, intérêt lié à son souci d'arriver à construire de façon économique :

« Dispositions nouvelles, transfigurations des matériaux jusqu'alors jugés vulgaires ou impropres à l'habitation, techniques de constructions légères et souples furent les moyens utilisés par Wright pour résoudre le problème de la maison économique[94]. »

Wright est aussi compris comme l'un des rares architectes à protéger les maisons de l'ardeur du soleil, à éviter l'appareillage d'air conditionné et à penser les différents éléments de la maison – la cheminée, le jeu des ouvertures, des plafonds et des sols, tout comme le débord des toits, des auvents et des pergolas – comme des variateurs thermiques[95]. Au cours de notre entretien, Goulet dresse l'état des réseaux wrightiens en France tels qu'ils persistent au début des années 1960. Il évoque, à ce propos, le rôle de Dominique Zimbacca et Hervé Baley, leur personnalité et leurs travaux. L'influence wrightienne dans l'enseignement sera d'autant plus perceptible qu'Hervé Baley enseignera à l'École spéciale d'architecture à partir de 1968. Hervé Baley organise une exposition consacré à Frank Lloyd Wright avec ses étudiants de l'atelier Sens et Espace à l'ESA en 1977 (voir p. 26).

On peut observer, en province, un courant s'inspirant de Wright : les travaux d'Edmond Lay dans le Sud-Ouest, au cours des années 1960, notamment la maison qu'il se construit près de Tarbes, ainsi que ceux de Christian Gimonet à Bourges et alentours (notamment les maisons qu'il construit à partir de 1967), témoignent de cette influence[96].

Patrice Goulet pointe la difficulté que pouvaient ressentir les architectes « de province » pour faire reconnaître leur talent et se faire entendre des organes de diffusion (les revues d'architecture) centralisées principalement à Paris : « Aux États-Unis, il ne suffit pas d'être dans les réseaux des grandes villes pour être reconnu. Des individus originaux tels que Bruce Goff et Herb Greene, perdus en Oklahoma, ou Bart Prince, installé à Albuquerque au Nouveau-Mexique, pouvaient être autant reconnus que ceux des métropoles[97]. » Nous avons vu que *L'architecture d'aujourd'hui* et *Aujourd'hui, art et architecture* ont contribué à diffuser les travaux de ces architectes américains.

Photographie de la Jorgine Boomer Residence, Phoenix, Arizona, réalisée par Frank Lloyd Wright en 1953, a été prise par Frédérick Leboyer lors de son voyage avec Hervé Baley et Daniel Ginat aux États-Unis en 1963.

Autre maison visitée par Hervé Baley, Daniel Ginat et Frédérick Leboyer, la David Wright Residence, Phoenix, Arizona, réalisée par Frank Lloyd Wright en 1950.

Hervé Baley, Patrice Goulet, « H. Baley, D. Ginat, A. Marcoz », *Aujourd'hui, art et architecture*, n° 54, spécial France 1, septembre 1966, pp. 72-73.

Au cours de leur voyage américain en 1963, les trois amis visitent également la Paul R. Hanna Residence, Stanford, Californie, réalisée par Frank Lloyd Wright en 1936.

À l'École spéciale d'architecture, Hervé Baley (qui y enseigne depuis la rentrée 1968) et Dominique Zimbacca promeuvent l'architecture du maître de Taliesin. Hervé Baley réalise son propre appartement ainsi que d'autres habitations en région parisienne en collaboration avec Daniel Ginat et Alain Marcoz. Un dossier d'une soixantaine de photos couleur, noir et blanc et sépia (prises par Patrice Goulet) et plans est présenté dans *Aujourd'hui, art et architecture* en septembre 1966. Le groupe développe une pratique architecturale très proche des travaux de Frank Lloyd Wright[98]. Notons qu'Hervé Baley, insatisfait par le dogmatisme de l'architecture conventionnelle, intrigué par

certaines architectures d'autres époques et d'autres cultures, a voyagé en Amérique en 1963, impressionné surtout par cette autre tradition du mouvement moderne que représentait Frank Lloyd Wright. Son itinéraire l'avait conduit à découvrir des architectes du centre des États-Unis tels que Bruce Goff et Herb Greene et il ne manquera pas de montrer les travaux de ces architectes, ainsi que ceux de Paolo Soleri, dans les locaux de l'École spéciale d'architecture.

Hervé Baley contribue aussi à montrer la variété des maisons nord-américaines, des maisons de pionniers aux maisons dans le style Shingle, dans un article qu'il publie dans *L'Architecture d'aujourd'hui* en 1968[99]. En France comme en Italie, l'admiration pour Frank Lloyd Wright s'accompagne souvent d'une critique des « grands » de l'architecture moderne européenne, Le Corbusier notamment. En novembre 1965, la revue *Aujourd'hui, art et architecture* réalise un numéro spécial en hommage à l'architecte qui vient de se noyer dans la Méditerranée à Cap Martin. Dans les flots des témoignages laudateurs se glissent quelques échos dissonants. Les critiques de Dominique Zimbacca et Hervé Baley sont virulentes. Ils accusent Le Corbusier de tous les maux et établissent un lien direct entre la doctrine de Le Corbusier et le désastre des grands ensembles :

> « Vers 1920, lorsqu'apparut la doctrine de Le Corbusier, la masse des architectes s'y est déclarée farouchement hostile, mais, devant la mise en demeure de réaliser des grands ensembles urbains, ils l'ont alors adoptée et glorifiée pour couvrir d'un drapeau leur démission et leur incapacité ; et ils ont réalisé en toute quiétude les Sarcelles, les Bagneux, les Bobigny, les Courneuve et autres ZUP dont la responsabilité morale incombe à cet architecte du système[100]. »

Cette citation témoigne d'une forme caractéristique de l'évolution de la critique de l'architecture, qui, selon l'historien italien Bruno Zevi, consiste à mettre face à face l'architecture organique de Frank Lloyd Wright et celle des protagonistes du mouvement moderne.

À l'École spéciale d'architecture, Hervé Baley n'est pas le seul à promouvoir la figure de Wright. Jean-Louis Cohen rappelle que les cours d'histoire de l'architecture de Gilbert Cordier, basés sur une abondante documentation visuelle, ont contribué à faire connaître les maisons dessinées par Wright[101].
Frank Lloyd Wright reste aujourd'hui une référence mais son œuvre est rarement montrée dans les écoles d'architecture en France. Les travaux de Catherine Maumi néanmoins mettent en lumière la pensée urbaine décentralisatrice du maître de Taliesin. Les grandes expositions qui ont eu lieu au Moma en 1996 et en 2017 contribuent à développer des travaux de recherche sur de nouveaux terrains historiographiques[102].

La Davis Residence, Marion, Indiana, réalisée par Frank Lloyd Wright en 1950, et la Roland Reisley Residence, Pleasantville, New York, datée de 1951, font partie des lieux visités par Hervé Baley, Daniel Ginat et Frédérick Leboyer en 1963.

Entretien avec Patrice Goulet

ANNE-LAURE SOL

Patrice Goulet (né en 1941) est architecte DPLG en 1978. De 1971 à 1974, il est associé avec Hervé Baley au sein de l'Atelier d'Architecture et d'Aménagement. En 1974, il travaille également avec Dominique Zimbacca. Historien de l'architecture et critique, Patrice Goulet collabore aux revues *Aujourd'hui, art et architecture* de 1964 à 1966, *Architecture intérieure-Créé*, dont il est rédacteur en chef, de 1979 à 1981, *L'Architecture d'Aujourd'hui* de 1981 à 1986. Il consacre de nombreux livres à l'architecture contemporaine et ses essais théoriques sont regroupés en 1989 dans l'ouvrage *Temps sauvage et incertain*, qui esquisse le portrait d'une nouvelle avant-garde. De 1990 à 2007, Patrice Goulet dirige le département Création-Diffusion de l'Institut français d'architecture, y produisant plus de 60 expositions.

Quand avez-vous rencontré Dominique Zimbacca ?

Fin 1964, Claude Parent et moi finissions la réalisation du numéro spécial « Italie » de la revue *Aujourd'hui*[103].
Un an auparavant, Claude m'avait emmené chez André Bloc pour que je lui explique pourquoi l'architecture italienne m'avait tellement enthousiasmé et Bloc m'avait demandé d'écrire un article. L'article est devenu un numéro spécial. J'ai alors tout appris sur la fabrication d'une revue.
En Italie, j'avais découvert l'importance de Frank Lloyd Wright[104] et cela m'avait incité à partir en août 1963 aux USA pour vérifier sur place ce qu'il en était. J'étais rentré ébloui.
Pour le numéro suivant, André Bloc nous a dit : « Allez voir Dominique Zimbacca, je pense qu'il vous intéressera. » Il avait manifestement aimé les meubles qu'il avait vus dans une galerie[105].
L'atelier de Zimbacca, à Montparnasse, était rempli de maquettes de meubles (on s'y attendait) mais aussi de bâtiments (et ça c'était une grande surprise). Les murs étaient recouverts de croquis et de plans. Le foisonnement des maquettes et des esquisses révélait une imagination qui n'était pas bridée par les contraintes auxquelles étaient habituellement soumis la plupart des architectes. Dominique travaillait manifestement seul, dessinant, bricolant, assemblant, accumulant croquis, perspectives et fragments de maquettes d'études. Dominique était grand, massif avec une tête ronde et des yeux malicieux, très décontracté et très sympathique.

Vue de l'appartement d'Hervé Baley, 40 rue Henri Barbusse, Paris 5e. Vers 1970.

D'emblée, Claude a aimé son engagement et sa radicalité, moi la douceur et l'humour avec lesquels il expliquait ses projets. Beaucoup de ses meubles étaient lourds et presque archaïques mais jamais brutaux. Ils avaient, par la pureté des lignes et la précision de leurs assemblages, un côté japonais, que confirmait leur sophistication.

Intérieur d'un des appartements aménagés et meublés par Dominique Zimbacca dans une HLM à Clichy-sous-Bois, 1964. De simples tasseaux assemblés transforment un espace banal en lieu unique, intime et chaleureux.

Aménagement de la cour intérieure de l'École bilingue, 87 avenue de La Bourbonnais, Paris 7e, 1964. Aujourd'hui détruit, cet enchevêtrement de tasseaux et de plexiglas produisait une structure aérienne.

C'est alors que vous êtes allés voir ses réalisations ?

Oui, d'abord à Clichy-sous-Bois, voir deux petits appartements qu'il venait d'aménager dans des barres d'HLM sans intérêt[106].

Dans le premier, le coin repas était envahi par des grands portiques qui surplombaient la table. Portiques, table et sièges étaient tous réalisés de la même manière, avec des tasseaux de bois assemblés par les angles. Ils résonnaient les uns sur les autres et transformaient complètement l'espace.

Dans le second, une imposante cheminée métamorphosait le séjour. C'était invraisemblable. En bourrant l'espace, il lui avait donné de la profondeur, il l'avait rendu merveilleux.

Nous avons ensuite vu le chantier de l'école bilingue, avenue de La Bourbonnais. C'était, dans une petite cour, une excroissance fragile et transparente de bois et de plexiglas, un enchevêtrement d'une complexité incroyable, un assemblage surprenant de tasseaux de 4 cm sur 4, emboîtés sur les angles, qui enveloppaient un escalier et sur lesquels étaient visées des plaques de plexiglas cintrées. Une espèce de mikado géant d'une grande délicatesse[107].

Dominique était incroyablement pacifique et rassurant, pourtant ce qu'il faisait était à l'opposé de tout ce que je voyais ailleurs. Quand j'étais avec lui, ce qu'il faisait me paraissait évident, simple, normal, naturel et en même temps absolument merveilleux.
Toutes ses interventions étaient d'une efficacité surprenante, apportant harmonie et dignité à des lieux qui grâce à lui étaient transfigurés, rendant crédible l'idée qu'on pouvait recréer un autre monde simple et idéal, ancré dans le passé en même temps que plein d'espoir, un monde intime et chaleureux où enfin on serait libre. Ses meubles vous faisaient rêver. Ils vous rendaient meilleurs.

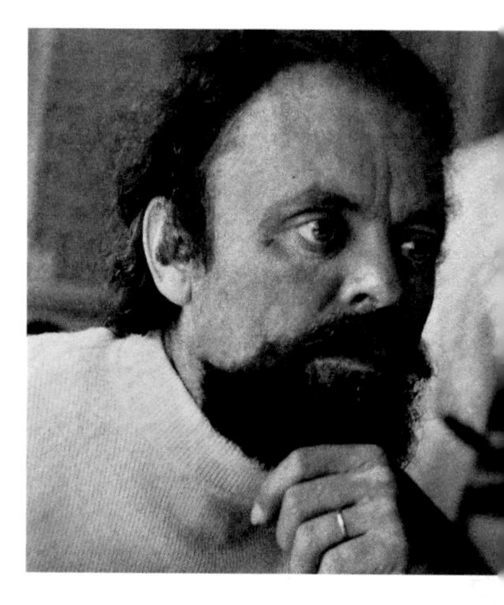

Hervé Baley, vers 1970.

Vous parliez de Wright avec lui ?

Non, pas tellement. Il m'avait pourtant fait beaucoup rire en me racontant comment il avait tenté de voir Wright à son hôtel. Wright était à Paris pour l'inauguration de son exposition aux Beaux-Arts en 1952. Dominique avait 22 ans, Wright 82. Dominique avait frappé à la porte de sa chambre. Wright lui avait ouvert. Il était en robe de chambre et avait les cheveux blancs et longs. Dominique, surpris, ne l'a pas reconnu et a dit « Pardon madame, je... » Se rendant compte de sa méprise, paniqué, il s'était enfui, laissant Wright sur le pas de sa porte. Il en était encore confus et amusé.
Ce qui me plaisait c'est qu'il était wrightien sur le fond et non par les formes. Il y avait chez Dominique le même désir de créer des paysages plutôt que des objets, de concevoir des œuvres spécifiques et intègres, et les espaces qu'il concevait étaient toujours fluides avec des transitions savantes.

C'est Zimbacca qui vous a emmené chez Hervé Baley?

Oui. En 1965. Il m'avait prévenu : Hervé était un des seuls architectes dont il se sentait proche mais il le trouvait un peu trop dogmatique et autoritaire.
J'ai tout de suite été séduit par Hervé, si intense et si sûr de lui, par Françoise, toujours souriante et attentive et par Daniel Ginat son associé, à l'allure de sage afghan, aussi généreux que discret, et par les lieux où il habitait et travaillait, 40 rue Henri-Barbusse où je me suis senti tout de suite tellement chez moi que je n'ai eu qu'une idée, en faire une réplique dans l'appartement que j'habitais au 24 rue Dauphine.
Ce qu'on voyait d'abord chez Hervé, c'était ses yeux. Ils semblaient vouloir sortir de leurs orbites comme projetés vers vous. Il n'était pas grand, plutôt ramassé, concentré. Il savait être chaleureux mais il était clair qu'il était fait de granit comme le Breton qu'il était, passionné autant qu'inflexible, sachant pourtant être amusant, malicieux, sarcastique et ironique.
J'ai très vite compris qu'on ne pouvait être qu'avec lui ou contre lui. Il était très critique sur le monde, un peu messianique, presque hypnotiseur, seigneur dans son ermitage de la rue Henri-Barbusse dont le charme venait de l'originalité et de la beauté du décor qu'il avait dessiné et réalisé de ses mains.
L'agence était petite. Quatre personnes tenaient juste dans l'espace réservé au dessin, trois sur les tables du secrétariat. La salle à manger en bas et le séjour à l'étage étaient en fait les pièces les plus importantes. Hervé y réfléchissait, travaillait, discutait, recevait. On avait l'impression d'être accueilli dans un palais fantastique où tout ne pouvait être que merveilleux. L'espace de la salle à manger était petit mais totalement occupé par une grande table triangulaire aux bords coupés où neuf personnes tenaient en se serrant un peu. Aux angles,

Vue du salon de l'appartement d'Hervé Baley, 40 rue Henri Barbusse, Paris 5e, vers 1970. La blancheur des blocs de Siporex, qui composent l'imposante cheminée adossée à l'un des murs du salon, s'impose dans l'univers de teintes chaudes créé par Hervé Baley.

des chaises aux hauts dossiers qui étaient comme des trônes enveloppaient les convives, les faisant participer à une sorte de communauté évoquant celle de la table ronde.

Après les repas, nous montions dans le séjour qui, le soir, devenait encore plus mystérieux et exotique. La cheminée était comme taillée dans la roche, les murs recouverts de liège noir faisaient s'évanouir les limites de l'espace, les meubles résonnaient les uns sur les autres, tous faits d'assemblages subtils de planches de sapin teintées d'oxyde de fer rouge et de pièces de cuir roux, fauteuils, tabourets, banquettes, tables, lutrins, tous inventés et astucieusement réalisés.

On se sentait protégé dans ce lieu d'une grande intimité qui en même temps vous projetait dans l'infini. À l'évidence, on ne pouvait qu'y avoir des discussions profondes, passionnantes, philosophiques, et c'est bien ce qui s'y passait.
Comment avait-il pu métamorphoser à ce point un lieu qui n'était après tout qu'un triste et sombre rez-de-chaussée orienté au nord et caché au fond d'une cour ordinaire d'un immeuble parisien ? C'était en fait précisément là que son talent se révélait : dans ces appartements sans intérêt qu'il transformait en diamants en y inscrivant une géométrie qui leur donnait de l'esprit.
J'ai dû visiter une quinzaine d'appartements qu'il avait aménagés et je ne pense pas qu'il y ait beaucoup d'œuvres équivalentes en France, aussi subtiles et originales.

Baley construisait aussi des maisons ?
Oui, avec Hervé et Daniel[108], je les ai visitées. La plupart étaient en chantier. Manifestement ses clients n'avaient que des moyens limités mais cela ne l'empêchait pas de leur dessiner des plans complexes. Les deux plus étonnantes étaient celles d'Ézanville et de Croissy (pp. 60 et 64).
Je voyais bien ce que lui avait appris Wright : à la fois cette volonté d'obtenir des espaces qui coulaient naturellement les uns dans les autres mais aussi ce réglage du dessin obtenu par son inscription sur une trame comprise comme les lignes d'une partition musicale. Cela lui permettait de donner à tous ses plans une souplesse et un équilibre parfait.

Pourquoi avoir demandé à Zimbacca et Baley d'écrire pour le numéro d'*Aujourd'hui* consacré à Le Corbusier ?[109]
Nous avions l'intention Claude et moi de faire non un panégyrique mais une approche critique de son œuvre. Cela nous paraissait la seule façon honnête d'agir face à sa radicalité et à son talent de polémiste. Ce fut un long et difficile travail. Nous avons cherché qui pourrait mettre quelques points sur les i. J'ai convaincu Claude de demander à Zimbacca car je savais, pour avoir souvent discuté avec lui de Le Corbusier, combien son argumentation était précise et pertinente. Il a accepté à condition d'écrire ce texte avec Hervé, mais c'est bien la voix de Dominique (et son humour) que j'entends quand je le relis. Il n'y avait que lui pour comparer les Unités radieuses à des buffets et le modulor à une fiche anthropométrique.

Ensuite il y a eu le numéro « France 1[110] ».
André Bloc m'avait demandé de réaliser un numéro sur la France. Il savait pourtant que l'architecture française me paraissait nulle, sans ambition, sans talent, sans savoir-faire. Mais il y avait heureusement des exceptions. J'avais dressé une liste de ceux qui me paraissaient possibles et pour ce qui devait être le premier numéro d'une série, j'ai choisi cinq groupes d'architectes qui me semblaient poser de bonnes questions, dont l'AAA de Baley, Ginat et Marcoz, leur architecture étant selon moi un contrepoison à la rigidité des néo-modernes qui m'apparaissaient comme les adeptes d'un nouvel académisme presque plus destructeur que celui qui l'avait précédé.

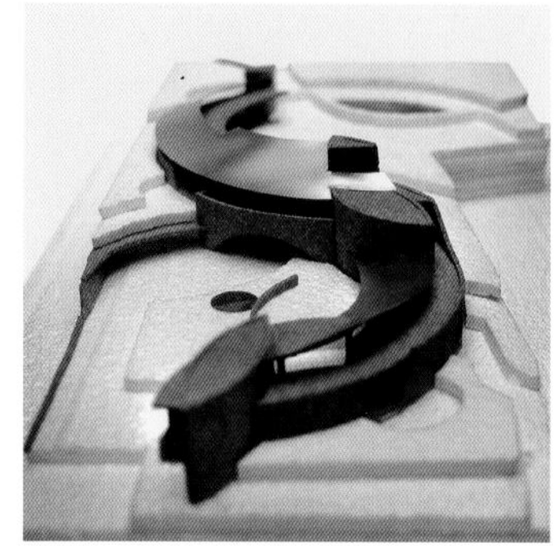

Maquette de la Maison M., vers 1972.
Fortement impressionné par les maisons courbes de Frank Lloyd Wright qu'il concevait comme l'aboutissement de ses recherches sur la fluidité de l'espace, Hervé Baley a plusieurs fois tenté de faire aboutir de tels projets. Dès 1964, il élabore un premier plan circulaire pour une maison située près de Dourdan et reviendra très régulièrement à cette expérimentation formelle, mais seule la maison de Sartène, Corse-du-Sud, sera réalisée.

Maquette de la Maison C., vers 1972.
Chacun de ces projets explore comment enchaîner les courbes. La superposition des tracés, tour à tour décalés ou inversés, est guidée par la notion de fluidité.

Au départ, Hervé n'avait aucune envie d'être publié et il n'avait d'ailleurs rien de publiable, ni photos, ni dessins, ni plans redessinés, ni notices sur les projets, ni même de chronologie ou de document récapitulatif de son travail. J'ai dû beaucoup m'investir.
Cette année-là, en juillet 1966, nous sommes allés, Hervé, Françoise, Daniel et mon frère Pierre-Marie en Turquie, à Konya, où Hervé devait présenter au maire le projet d'un parc et d'un mausolée dédié à Nassr Eddin Hodja. Avec lui, l'architecture prenait une dimension mystique qui me séduisait. À Konya, où nous étions entourés de ses amis turcs, j'ai mieux réalisé combien son approche débordait clairement les simples problèmes de la construction. C'était vraiment une question de style de vie, une question philosophique, et cette approche s'accordait parfaitement avec ma vision de l'architecture de Wright, elle aussi liée à une manière d'envisager la vie.

En 1970, vous vous êtes associé à Baley et Ginat.

En 1967, guidé par Hervé, j'avais dessiné les plans de la transformation de mon appartement que j'ai en grande partie réalisé de mes mains. Puis mai 68 est arrivé. Avec mon frère Pierre-Marie[111] et ses amis, nous étions très proches de Paul Virilio. L'année suivante, je suis parti rejoindre Rémy Audouin, un ami archéologue, qui était sur des fouilles en Afghanistan. De là j'ai continué au Pakistan, en Inde, à Ceylan et au Népal.
Quand je suis revenu à Paris, je suis allé revoir Hervé. Il dirigeait un atelier à l'École spéciale et nous avons passé beaucoup de soirées à discuter de Wright. En 1971, je suis retourné aux USA où j'ai pu visiter une bonne cinquantaine de maisons de Wright.
Quand Serge Roullet[112] et mon frère Pierre-Marie m'ont demandé d'aménager leurs appartements, j'en ai parlé à Hervé qui m'a proposé de devenir le troisième associé de l'Atelier d'Architecture et d'Aménagement.
J'ai toujours été surpris de la rapidité avec laquelle Hervé concevait un projet. Il réfléchissait longuement sur les relevés puis très vite traçaient les grands axes. C'était fascinant parce qu'on voyait littéralement naître un espace, une géométrie qui se superposait à l'existant, qui lui donnait une logique et une harmonie invisibles jusque-là. Et cette géométrie était toujours spécifique au lieu. Bien sûr, elle utilisait presque toujours des enchaînements, des résonances et des diagonales mais pour créer à chaque fois des espaces particuliers et originaux. Il savait faire jaillir un cristal d'un volume quelconque et donner vie à des espaces amorphes, les dynamisant, passant du bancal à l'harmonie, de l'ordinaire au spectaculaire, du froid à l'intime, du frigide au chaleureux, de l'anodin au féerique.
Ensuite, pour la mise au point du projet, il choisissait presque toujours une trame qu'il installait sur le plan de l'existant, l'orientant en fonction du mouvement qu'il voulait créer, une trame habituellement de 60 cm sur 60. Cette trame permettait de mieux gérer les mouvements et les transitions. C'était un puissant outil d'intégration.
Pour l'appartement de Serge Roullet, Hervé a tout de suite vu comment faire danser les lignes pour fluidifier l'espace en définissant plusieurs niveaux de sols, en mettant en biais les emmarchements comme certaines des cloisons, en créant des faux plafonds qui étiraient les dimensions.

Pour l'appartement de mon frère, il a enrichi mon premier croquis par l'implantation de grandes piles qui rythmaient l'espace. Il avait une façon très particulière de faire progresser son idée en superposant les tracés d'une façon un peu impressionniste. Petit à petit, les enchaînements, les rythmes et les transitions apparaissaient et, en insistant sur certains points clés, il faisait apparaître les ancrages sur lesquels les mouvements s'articulaient.

En 1973 et 1974, nous avons travaillé ensemble sur le projet d'un important centre de recherche qui devait être construit en Thiérache, mais juste avant que les travaux commencent, le projet a été stoppé. C'est une des raisons pour lesquelles je suis revenu à l'écriture.

Vous semblez aimer particulièrement les projets de maisons courbes de Baley. Pourquoi ?

Pendant les années où j'ai été proche d'Hervé Baley, il a étudié six projets de maisons courbes qui sont pour moi les plus intéressants.

Une seule a été réalisée, en Corse[113]. De loin, on pouvait presque la prendre pour les ruines d'une citadelle et c'est peut-être ce qu'il recherchait afin de l'inscrire sans heurt dans le paysage. Ces projets peuvent être considérés comme l'aboutissement de la recherche de la fluidité que poursuivait Wright et il fallait un sacré courage pour le suivre sur ce terrain.

Maquette de la maison réalisée à Sartène, Corse-du-Sud, vers 1974.

Maquette S., vers 1972. Nouvelle variation à partir d'un plan circulaire.

Vue de la maison réalisée à Sartène, Corse-du-Sud, vers 1975. Cette maison qui domine la mer existe toujours.

Dominique Zimbacca en train d'assembler la table « Neuf Pavés », vers 1975.

En 1974, c'est avec Zimbacca que vous avez travaillé.

Michel Vernes, que j'avais rencontré peu avant, m'avait persuadé de retourner aux Beaux-Arts. Hervé était lui très pris par l'École spéciale et je le trouvais de plus en plus refermé sur son monde ; aussi quand Édouard Jacquemaire, un ami de Serge Roullet, m'a demandé d'aménager l'appartement qu'il venait d'acheter place des Vosges, c'est effectivement à Dominique Zimbacca que j'ai proposé de le faire avec moi.

Dominique s'était installé à Yerres, sur le terrain qu'il avait hérité de ses parents, dans une petite cabane qu'il avait agrandie plutôt en bricoleur qu'en architecte. La cabane était toujours là mais comme percutée par une grande toiture en shingle qui s'appuyait sur une haute cheminée en Siporex. C'était un collage à la fois sophistiqué et sans prétention.

C'est à cette époque-là qu'il a dessiné les meubles de la maison de Gabaston pour Edmond Lay dont j'ai des photos prises dans son jardin. J'ai alors aussi photographié la maquette étonnante d'une maison en contreplaqué courbe qui développe l'idée des « formes structures » chères à Wright.
Il avait déjà dans l'idée de lotir son terrain en y construisant six maisons qui préfigurent celles qu'il construira plus tard.

Pourquoi Baley et Zimbacca sont-ils restés si méconnus ?

Est-ce parce qu'ils étaient en quelque sorte autodidactes et qu'ils n'ont jamais cherché à se mettre sur le devant de la scène ? Les rares publications sur leur travail n'ont pas bénéficié d'une grande diffusion. Ils n'ont pas écrit d'autobiographie ni de manifeste, ne se sont pas préoccupé de faire connaître leur travail. Il n'y a eu aucune exposition sur eux, ni aucun livre. Cela ne les intéressait pas. Il faut dire que la pensée dominante était réaliste et que, comme Wright, ils étaient des romantiques et par là, trop attachés à la nature pour la brutaliser. Ils faisaient naître leur architecture du sol et voulaient que leurs constructions soient l'égal d'une fleur, d'un arbre, qu'elles fassent partie du paysage.
Je suis sûr que quand on aura redécouvert leurs projets et leurs réalisations, on se rendra compte de la qualité et de la pertinence de leur démarche car rares sont les architectes qui rêvent de construire le paradis terrestre[114].

Maquette expérimentale pour une habitation, 1969.
En 1938, Frank Lloyd Wright dessine pour Ralph Jester à Palo Alto, Californie, une maison dont les piliers sont faits de feuilles de contreplaqué enroulées sur elles-mêmes, approfondissant ainsi sa recherche de formes qui soient aussi structures. La même interrogation des formes en tension anime Dominique Zimbacca.

Maquette pour le projet de lotissement du Hameau de Bellevue, 1974.
Cette version, plus ambitieuse que celle reproduite p. 88, propose une occupation de l'espace plus dense.
Dans ce projet, six maisons « en forme de parapluie, intimes et largement ouvertes sur le soleil » exploitent la déclivité du terrain.

S'approprier l'enseignement d'Hervé Baley

Jean-Pierre Campredon et le site expérimental de Cantercel

SALOMÉ VAN EYNDE

De 1968 à 1990, Hervé Baley dirige l'atelier « Sens et Espace » à l'École spéciale d'architecture. Il y diffuse sa conception d'une architecture organique, qui place au cœur de son processus créatif l'Homme en tant qu'être doué d'une perception sensible. L'acte de bâtir doit donner lieu à la réalisation d'espaces en symbiose avec leur site, où l'Homme est en relation harmonieuse avec son environnement. Dans ce but, Hervé Baley développe une pédagogie fondée sur l'expérimentation de chacun : exercices graphiques basés sur une exécution automatique de dessins, destinés à libérer l'imagination et la spontanéité, exercices corporels de familiarisation aux différentes qualités dimensionnelles du corps, séances extérieures d'étude des qualités spatiales d'un site, aménagement d'espaces pour l'organisation d'expositions ou encore création de mobilier. Une approche plus théorique, presque holistique de la création architecturale, vient compléter cet apprentissage pratique. Hervé Baley organise en effet régulièrement des conférences pour ses étudiants. Cette pédagogie globale puise une grande partie de son inspiration dans l'œuvre de Frank Lloyd Wright, que nombre de jeunes architectes de l'atelier Sens et Espace, tout comme leur professeur, revendiquent comme modèle.
En vingt-deux ans d'enseignement, Hervé Baley forme près de cent quinze architectes d'une dizaine de nationalités différentes[115] et dirige soixante-dix travaux de recherches. Lorsqu'il commence son activité de professeur, F. L. Wright est encore largement absent de l'enseignement français de l'architecture. Hervé Baley est un acteur militant de sa redécouverte en France et certains de ses élèves développent toujours leur pratique architecturale

En 1987, Jean-Pierre Campredon réalise son habitation, rue de Picpus, à Paris dans le 12e arrondissement.

Vue de l'agence-atelier réalisée par Jean-Pierre Campredon à Cantercel, en 1997.

à partir de son enseignement. Ainsi Jean-Pierre Campredon (né en 1943), l'un de ses premiers élèves, exerce aujourd'hui depuis le site expérimental d'architecture de Cantercel, dont il est l'un des fondateurs.

Entré dès 1964 à l'ESA, cet étudiant choisit, en 1969, Hervé Baley pour diriger ses recherches en vue de l'obtention de son diplôme. À une époque où la bibliothèque de l'ESA ne propose qu'un seul ouvrage sur Frank Lloyd Wright, *The Natural House*[116], Jean-Pierre Campredon se réjouit de trouver un professeur s'en faisant le défenseur[117]. Dès lors, les deux architectes restent proches, et après une expérience professionnelle en Algérie, Jean-Pierre Campredon revient à Paris et ouvre sa propre agence avec Odette Gal et Alain Cornier, également anciens élèves de l'atelier Sens et Espace. Au début des années 1980, Hervé Baley propose à son ancien élève de devenir son assistant à l'ESA pour y encadrer les élèves de première année, et se charger entre autres des séances de perception sensible de l'espace organisées en extérieur. Au même moment, Jean-Pierre Campredon utilise le projet de sa propre maison rue de Picpus (12e arrondissement) comme chantier d'expérimentation avec les étudiants. Dans cette petite cour d'immeuble, l'espace très contraint les oblige à redoubler d'inventivité pour créer une habitation avec un apport suffisant de lumière, et conserver une partie de la parcelle pour un petit jardin. À l'intérieur, le plan ouvert permet d'offrir un espace multifonctionnel généreusement éclairé, dans lequel s'intègre harmonieusement un mobilier en bois aux lignes basses.

En parallèle, Jean-Pierre Campredon et Annick Lombardet, sa compagne, elle aussi ancienne élève d'Hervé Baley, s'emploient à chercher un lieu leur permettant de créer un site expérimental d'architecture. Ce projet connaît une avancée heureuse lorsqu'ils découvrent en mars 1988, au cours d'un voyage avec Françoise et Hervé Baley dans le Larzac, un site sur la commune de La Vacquerie qui correspond à leurs attentes. Le paysage est grandiose : une colline boisée de conifères est séparée par un petit vallon d'une colline plus dégagée. Ces hauteurs offrent un panorama sur les basses terres de l'Hérault, qui par temps dégagé dévoile à l'horizon le miroitement de la Méditerranée. Le couple réussit à obtenir auprès de la mairie un contrat d'occupation pour ce terrain d'une centaine d'hectares. La création de l'association Sens Espace Europe en 1989, qui regroupe une quinzaine d'architectes, de paysagistes et d'ingénieurs, achève la création du site de Cantercel (de l'occitan « chante la terre et le ciel »), imaginé dès le départ comme un lieu d'échanges et d'expérimentations architecturales. Lors de camps d'été, des étudiants et leurs professeurs apprennent à concevoir l'espace grâce à une analyse sensible des lieux, à choisir l'implantation d'un projet en résonance avec son site, et à travailler des matériaux comme le bois, la terre, la toile. Des cycles de conférences et de discussions ponctuent ces chantiers auxquels Hervé Baley participe régulièrement pour partager sa pédagogie.

Annick Lombardet et Jean-Pierre Campredon réussissent à obtenir entre 1993 et 1994 une révision du plan d'occupation des sols. La commune leur offre en effet la possibilité de viabiliser le terrain et classe trente hectares sous le terme « site expérimental », spécialement créé pour l'occasion. Les premières réalisations pérennes voient alors le jour. En 1997, l'agence-atelier du site, dessinée par Jean-Pierre Campredon, est achevée sur le versant boisé du site. Sa conception suit des principes appris dans l'atelier Sens et Espace : la présence de hauts conifères qui empêchent tout dégagement sur l'horizon appelle une architecture qui compense l'espace contracté du site. Le bâtiment, qui s'appuie sur un mur de pierres bas, s'élève ensuite vers le ciel par une structure aérienne en bois et parois translucides.
À l'inverse, la maison Horizon, construite de 2002 à 2007 sur le versant dégagé de Cantercel, répond à un site aux qualités spatiales différentes. La grande beauté de ce lieu est en effet son ouverture exceptionnelle sur le paysage grandiose de cette partie du plateau du Larzac. Jean-Pierre Campredon y répond par une architecture basse et en longueur, offrant une multiplicité de points de vue sur le site. L'habitat se fond dans la nature, l'épouse et la complète. L'aménagement de plusieurs pièces cloisonnées de parois transparentes, puis de terrasses en pierres sèches, devient créateur d'espaces intermédiaires autour de la maison. Il s'instaure une porosité entre intérieur et extérieur, tandis que les pièces intermédiaires offrent aussi une isolation optimale de la maison. Avec un chauffage au sol par géothermie, elles montrent le goût de J. P. Campredon pour une architecture écoresponsable. La dernière réalisation sur le site de Cantercel, le gîte de l'Oreillette (2010), utilise ainsi la paille comme isolant naturel[118].
Hervé Baley, jusqu'à sa mort en 2010, est un acteur majeur de la vie à Cantercel. Il apprécie y partager sa vision de l'architecture organique, appliquée à une échelle extraordinaire en ce lieu. Jean-Pierre Campredon et Annnick Lombardet, sans doute les élèves dont il a été le plus proche, poursuivent aujourd'hui encore cette quête d'une architecture sensible.

Maison Horizon réalisée par Jean-Pierre Campredon à Cantercel en 2007.

Pour une autre modernité
Réalisations
d'Hervé Baley
et de l'Atelier d'Architecture et d'Aménagement
1964-1972

Vue générale de la maison au moment de la réception du chantier.

Maison Lemoigne

ERMONT (VAL-D'OISE)

Situation : 1 rue Henri-Verhaege, 95120, Ermont (Val-d'Oise)
Date de construction : 1964
Commanditaires : M. et Mme Lemoigne
Architectes : Atelier d'Architecture et d'Aménagement. Hervé Baley, Daniel Ginat, Alain Marcoz

Il s'agit de la première maison réalisée par l'Atelier d'Architecture et d'Aménagement après le départ de Dominique Zimbacca. Comme pour l'ensemble du groupe de maisons réalisées entre 1964 et 1969, la présence de Daniel Ginat, diplômé de l'ESA et d'Alain Marcoz, diplômé des Beaux-Arts, garantit la faisabilité du projet. Hervé Baley a rencontré Madame Lemoigne par l'intermédiaire de l'agent immobilier ayant organisé la vente de la parcelle (les relations d'Hervé Baley avec cet agent expliquent la présence de nombreux projets de l'Atelier dans le Val-d'Oise, à l'époque Seine-et-Oise). Reçue à plusieurs reprises par l'architecte rue Henri-Barbusse, Mme Lemoigne se souvient qu'Hervé Baley, récemment rentré de son voyage américain, lui avait montré les photographies des maisons de Wright qu'il avait visitées. Il lui avait confié son souhait de s'inspirer des maisons usoniennes pour sa propriété, même si la réalisation finale montre qu'il ne s'est pas encore ici affranchi d'un modèle traditionnel de maison individuelle.
La maison se trouve au milieu d'une petite parcelle située à l'intersection de la rue Verhaege et de la rue Renan, dans une zone pavillonnaire. Elle est bordée d'un jardin, qui est en partie ceint d'une clôture formée de blocs de ciment disposés de façon à laisser leur arête saillante. Ce muret offre un motif décoratif de chevron qui annonce les futurs jeux de bossage déclinés par exemple à Croissy-sur-Seine.

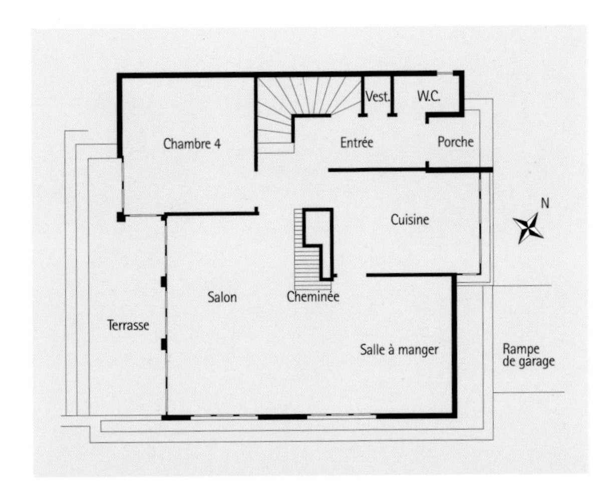

La maison se distingue des autres habitations du lotissement par son aspect cubique, que renforce encore un toit à pentes douces largement débordant, recouvert de tuiles mécaniques et coiffé en son centre d'une importante cheminée. Les quatre façades sont animées par le contraste des parties lambrissées d'un bois sombre et l'enduit clair recouvrant la maçonnerie de béton, accentuant encore l'impression de géométrie qui se dégage de l'ensemble. De plan carré, de configuration très simple, elle contraste avec les réalisations postérieures de l'Atelier d'Architecture et d'Aménagement.
Le programme répond d'une manière conventionnelle aux besoins d'une famille avec plusieurs enfants et se décline sur trois niveaux : sous-sol avec accès aménagé pour les voitures, rez-de-chaussée dont la division est banale : une cuisine, une première chambre et une pièce principale recouverte de lambris foncés et ouverte par de hautes baies vitrées sur le jardin. L'élément original réside ici dans l'organisation de l'espace autour d'une cheminée, tout à la fois pivot et cloison, selon un dispositif fréquemment observé chez Wright, et qui inaugure une formule qui sera reprise à des échelles différentes dans toutes les réalisations de l'Agence. Au premier étage se trouvent trois autres chambres, dont deux communiquent entre elles par un balcon filant sur deux côtés de la façade. Abrité par les débords du toit, ce balcon offre aux habitants une vue vers le jardin.

Vue intérieure de la maison. La pièce principale au rez-de-chaussée s'organise autour de la cheminée.

Vue de la façade antérieure de la maison. Un balcon en forte saillie agrandit l'espace de la chambre au premier étage.

Maison

SEINE-ET-MARNE

Situation : Seine-et-Marne
Date de construction : 1964
Architectes : Atelier d'Architecture et d'Aménagement. Hervé Baley, Daniel Ginat, Alain Marcoz

Juchée en surplomb d'un terrain abrupt, cette petite maison, construite à l'extrémité d'une longue parcelle, domine un paysage bucolique. Un garage au plan en losange se situe en contrebas, à proximité immédiate de la rue. Réalisée en Siporex selon un plan à la trame triangulaire, l'habitation conçue pour une famille avec enfants s'étage dans la pente et s'élève sur trois niveaux, décalés les uns par rapport aux autres. Elle est coiffée d'un toit en pente douce à pans multiples couverts de plaques de cuivre verdi par l'oxydation, matériau qui la distingue des autres réalisations de l'Atelier d'Architecture et d'Aménagement où l'usage du shingle prédomine. À l'extérieur comme à l'intérieur, la figure du triangle est déclinée à des échelles différentes : pour la cheminée centrale qui constitue l'axe de la maison, autour duquel les étages se rejoignent et s'articulent, mais également pour les débords des toits, terrasses et balcons qui croissent à partir des façades animées d'un sobre décor de refends.

Vue latérale de la maison. La porte d'entrée ouvre sur la pièce de séjour, très largement ouverte sur la végétation.

Cette maison révèle une disposition intérieure singulière, conséquence de la dénivellation du terrain. À droite de l'entrée se trouvent deux premières chambres, et à gauche, une volée de marches mène au premier étage, ouvert sur le jardin par de nombreuses baies, et qui dispose d'une terrasse de plan triangulaire. À ce niveau se trouvent le salon et la salle à manger, pour laquelle Hervé Baley et ses associés dessinent la table et ses chaises, et enfin la cuisine. Une nouvelle volée de marche permet d'accéder au second et dernier étage, desservant les deux dernières chambres, avec dressing et salle de bains. Le toit plat du rez-de-chaussée se transforme alors en terrasse, accessible depuis une des chambres de cet étage.

La maison est caractéristique des réalisations d'Hervé Baley : usage quasi exclusif des blocs de béton Siporex, bois présent aussi largement à l'intérieur qu'à l'extérieur. La cheminée centrale, axe névralgique, est le point d'articulation de la maison. La présence de larges baies ouvertes sur le jardin environnant, ainsi que les larges débords du toit, affirment son intégration dans le site.

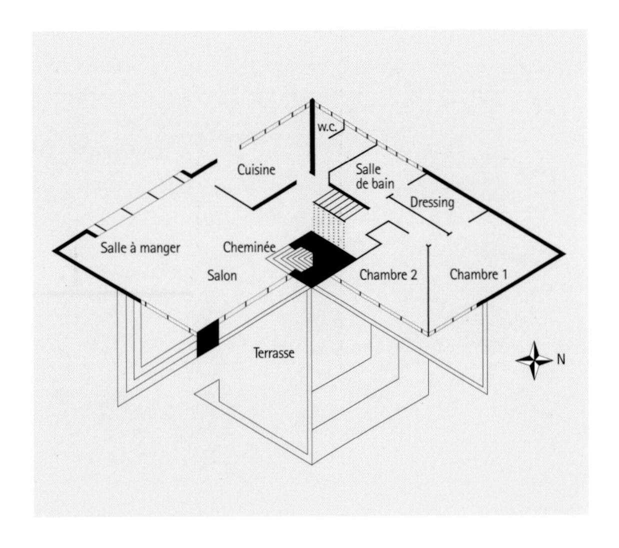

Sur ce dessin préparatoire, l'architecte avait prévu des toitures à double pans, refusées par le commanditaire.

Vue de la façade latérale, prise au moment de la réception du chantier.

Maison

FONTENAY-AUX-ROSES (HAUTS-DE-SEINE)

Situation : Fontenay-aux-Roses, Hauts-de-Seine
Date de construction : 1965
Architectes : Atelier d'Architecture et d'Aménagement. Hervé Baley, Daniel Ginat, Alain Marcoz

Deuxième maison réalisée par l'Atelier d'Architecture et d'Aménagement, cette habitation, en retrait de la rue, se trouve sur une vaste parcelle entourée de verdure. Son environnement s'est beaucoup urbanisé depuis les années 1960, et elle est désormais mitoyenne sur une de ses anciennes façades, ce qui amoindrit l'attention portée au site par les architectes au moment de la construction.
Cette réalisation a d'abord fait l'objet d'un projet plus radical qui a été refusé par les propriétaires. Prévu pour s'élever entre d'importants murs de clôture (selon un schéma qui sera réalisé à Ézanville), le projet initial se caractérisait par un soubassement de blocs de Siporex scandé par un jeu de poutraisons disposées verticalement et encadrant chaque baie.
La réalisation finale emprunte un plan plus simple, que des modifications ultérieures ont beaucoup altéré. Conçue selon un plan rectangulaire, la maison, en bloc de béton Siporex aux joints laissés apparents, se présente comme un assemblage de volumes géométriques, équilibre élégant entre horizontalité et verticalité.

Ces deux dessins préparatoires montrent qu'Hervé Baley et Daniel Ginat avaient dans un premier temps imaginé une maison marquée par l'emploi de lignes obliques et hérissée de tasseaux de bois.

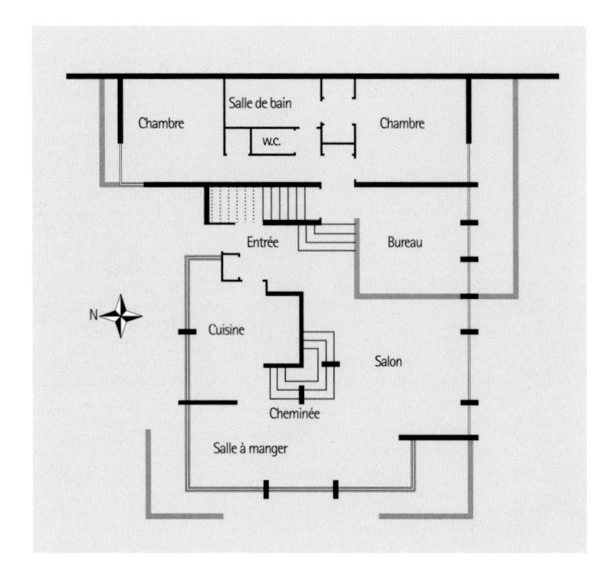

L'emploi de ces blocs de béton cellulaire va être particulièrement apprécié par Hervé Baley, qui dans ses autres réalisations les laissera visibles et parfois les sculptera.

La maison est surmontée d'un toit plat à larges débords dont la partie inférieure est recouverte de lambris de bois. Une imposante cheminée cruciforme surmonte la toiture de sa blancheur sculpturale. Côté rue, où se situe l'entrée de la maison, la façade, constituée d'un important soubassement surmonté d'une succession d'étroites fenêtres horizontales, présente un aspect presque aveugle. Côté jardin, la façade est rythmée par des bandeaux de maçonnerie percés de portes-fenêtres verticales ouvrant sur une terrasse et offrant une vue panoramique sur Paris. Ces baies étaient autrefois obturées par des volets intérieurs ajourés. Ce jeu de lignes horizontales et verticales, entre maçonnerie et transparence du verre, est souligné par une balustrade de blocs de Siporex alternant pleins et vides.

Cette maison adopte la déclivité du terrain et se développe sur trois niveaux. Le rez-de-chaussée, décloisonné, est organisé autour d'une importante cheminée centrale dont les âtres s'ouvraient à la fois vers le séjour et vers la cuisine. C'est elle qui structure et spécifie la distribution de l'espace. Élément de verticalité, sa blancheur

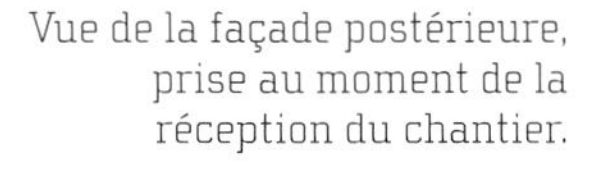
Vue de la façade postérieure, prise au moment de la réception du chantier.

immaculée provoque une rupture avec les lambris et les luminaires en bois intégrés au plafond. En proposant à partir de cette pièce un horizon spectaculaire, l'architecte a su provoquer un subtil brouillage entre intérieur et extérieur, entre nature et vie citadine. Accessibles par une volée de marche, les espaces privés de la maison, comme la pièce commune, disposent d'un chauffage au sol et sont clairement séparés des espaces communs.

Vue intérieure du rez-de-chaussée sur jardin, dans les années 1960.
Les fenêtres de la pièce principale étaient initialement occultées par des volets ajourés en bois et les portes-fenêtres par des persiennes extérieures en bois.

Vue actuelle, prise depuis le salon, de la cheminée. L'âtre est également ouvert dans la cuisine, située du côté opposé.

Vue de la façade sur rue prise au moment de la réception du chantier. La maison, dont le toit est recouvert de plaques de cuivres, n'est pas encore mitoyenne, ce qui permet d'apprécier le jeu des murs latéraux. Le muret en blocs de Siporex a aujourd'hui disparu.

Maison Tardif

ÉZANVILLE (VAL-D'OISE)

Page de droite :

Vue du puits de lumière prise depuis le rez-de-chaussée.

Vue actuelle de la cheminée située dans la pièce principale au rez-de-chaussée. Le contrecœur est aujourd'hui dissimulé par une plaque de cheminée, une autre plaque a également été posée sur l'âtre, masquant partiellement le bossage formé par les parpaings de Siporex. Dans cette pièce, le pavement original a été remplacé par du carrelage.

Détail du puits de lumière et d'une pièce ouverte côté rue au premier étage.

Détail des luminaires apposés à la jonction du plafond lambrissé et du mur de Siporex de la pièce principale.

Situation : 53 rue du Chemin-Vert, 95460 Ézanville (Val-d'Oise)
Commanditaire : Monsieur Tardif
Date de construction : 1965
Architectes : Atelier d'Architecture et d'Aménagement. Hervé Baley, Daniel Ginat, Alain Marcoz

Édifiée au centre d'une parcelle étroite de petites dimensions dont elle occupe toute la largeur, la maison se présente, sur ce terrain très contraint, comme une variation audacieuse à partir de la figure du triangle, déclinée dans le plan, la toiture, la cheminée et les luminaires. Pour un budget modeste, elle offre une solution originale et harmonieuse.

Réalisée à partir d'un plan à la trame triangulaire, elle adopte la forme d'un X et s'élève sur trois niveaux (sous-sol, rez-de-chaussée et premier étage). Les deux façades, côté rue et côté jardin, sont ceintes de murs latéraux se prolongeant au-delà de la construction elle-même, selon un procédé qu'Hervé Baley réinterprétera à Croissy-sur-Seine. Au moment de sa réalisation, cette maison n'était pas mitoyenne, les murs débordants des façades latérales jouaient donc davantage un rôle esthétique, enchâssant la maison dans l'écrin blanc des blocs de Siporex.

La toiture, construite autour de la cheminée centrale, épouse le plan en X de la maison : elle offre un subtil jeu de losanges qui se déploie sur toute la surface de la couverture à double pente.

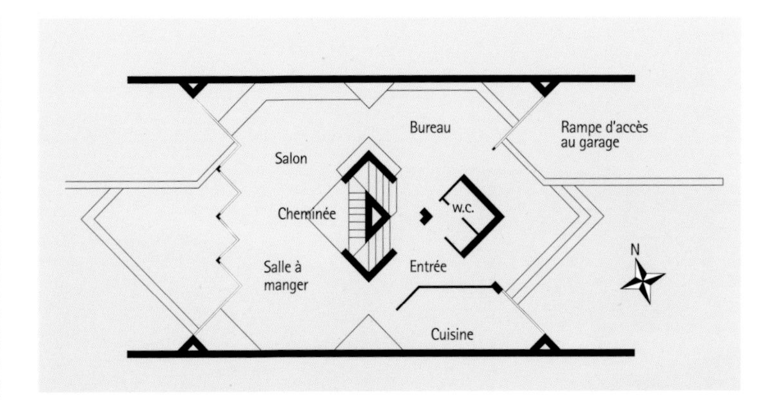

Les façades, côté rue comme côté jardin, s'organisent selon un jeu d'angles qui évoquent les facettes d'une pierre taillée. C'est d'ailleurs cette image qu'Hervé Baley choisit pour décrire la maison : « Comme une gemme prend sa préciosité et la lumière de ses facettes dans l'art de la taille/ la géométrie préside au développement/ de l'habitabilité de l'espace/ et lui donne la possibilité d'une variété infinie[119] ».

Le rez-de-chaussée est formé d'un espace complètement ouvert qui se déploie autour d'une imposante cheminée dont l'âtre fait face aux portes-fenêtres ouvrant sur le jardin. Un escalier axial accolé à la cheminée permet d'accéder à l'étage de la maison, également en forme de X, qui accueille une chambre dans chacune de ses branches.

Deux puits de lumière rendus nécessaires par la mitoyenneté, percés le long des façades latérales, répandent leur clarté aux différents niveaux de l'habitation. Cette atmosphère très lumineuse est encore accentuée par la blancheur du Siporex utilisé à l'intérieur comme à l'extérieur de la maison. Les menuiseries – en particulier les huisseries des fenêtres et des portes, les lambris des plafonds – et les appliques murales dessinées par Hervé Baley sont les seules touches colorées dans cet univers immaculé.

Vue de la station-service au moment de sa construction. La structure métallique du toit et la répartition des espaces, aujourd'hui dissimulées, sont bien visibles.

Station-service

ERMONT (VAL-D'OISE)

Situation : 255 rue Louis-Savoie, 95120, Ermont (Val-d'Oise)
Commanditaire : Monsieur Mestre
Date de construction : 1963-1967
Architectes : Atelier d'Architecture et d'Aménagement. Hervé Baley, Daniel Ginat, Alain Marcoz
Ingénieur : Mato Dusko Pavlic

Cette petite station-service réalisée pour M. Mestre est installée sur un terrain de 2 000 m^2 le long de la rue Louis-Savoie à Ermont. Si cette réalisation répond à un programme convenu et emblématique de la modernité, son plan propose une réponse élégante pour cette réalisation utilitaire. La disposition courbe permet la juxtaposition fluide de plusieurs fonctions bien définies et séparées par des murs de Siporex, ainsi qu'un accès simplifié pour les véhicules. Au centre sont disposées les pompes à essence, et sur le côté gauche un espace d'exposition précède celui attribués aux bureaux. L'espace situé sur le côté droit est réservé à l'atelier de mécanique, et a été agrandi en 1967.
L'originalité de cette station-service réside surtout dans le chevauchement de ces trois toits, tous de forme triangulaire et de taille différente. Leur structure est réalisée en résille métallique, selon un procédé technique

supervisé par l'ingénieur M. D. Pavlic, chargé de cours à l'École spéciale en 1969. Reposant sur de fins poteaux, ces toits donnent à cet ensemble à usage industriel un aspect très ouvert et une grande légèreté. Considérablement modifiée, cette station-service n'a conservé que peu d'éléments d'origine, le système de charpente métallique et les murs de Siporex ne sont actuellement plus visibles.

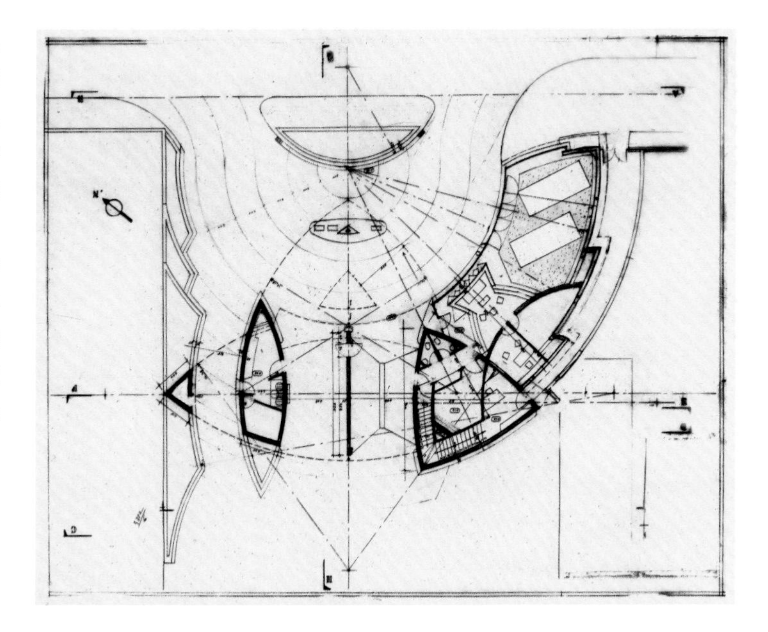

Vue du plan.

La fonction de chacun des usages de la station-service est clairement indiquée sur ce dessin préparatoire au projet.

Vue actuelle de la façade nord.

Maison Weill

CROISSY-SUR-SEINE (YVELINES)

Situation : 5 rue Perron, Croissy-sur-Seine
Commanditaire : Madame Weill
Date de construction : 1966
Architectes : Atelier d'Architecture et d'Aménagement. Hervé Baley, Daniel Ginat, Alain Marcoz

Réalisation commandée par Mme Luce Weill à son cousin Alain Marcoz, pour y vivre avec ses trois enfants, la maison, totalement invisible depuis la rue, est construite sur une longue parcelle orientée est-ouest qui a été découpée depuis. Auparavant isolée dans un vaste parc paysager, la demeure, qui n'a pratiquement pas été modifiée depuis sa création, est aujourd'hui entourée d'habitations.

Ici encore, une synthèse subtile de l'observation des maisons usoniennes apparaît dans l'utilisation d'un plan fondé sur le recours systématique au triangle, où les angles sont privilégiés. Ce jeu de géométrie se retrouve également dans son élévation où le motif triangulaire à angle à 90 degrés est récurrent.

La maison, par ses différences de niveaux dues à la présence d'un étage partiel, est coiffée de trois toits plats, à l'origine recouverts de shingle. Leurs larges débords sont percés de milliers de petits trous destinés à créer un rideau de pluie. Ils sursoient poétiquement à l'absence de gouttières et évoquent également l'architecture de F. L. Wright et son admiration pour le Japon. L'espace du séjour dispose d'un toit de plan carré, l'espace d'entrée et la chambre au rez-de-chaussée sont recouverts d'un toit légèrement abaissé par rapport à celui du séjour, et enfin l'étage supérieur dispose du sien propre.

Comme à Ézanville pour la maison Tardif, l'une des façades est prolongée d'un mur qui délimite la parcelle, et dont les parpaings[120] sont assemblés de manière à former un bossage triangulaire

Maquette réalisée par l'Atelier d'Architecture et d'Aménagement. L'imbrication des toits et la fonction de pivot de la cheminée, à l'intersection des extrémités des façades antérieure et latérale, y sont particulièrement lisibles.

Page de droite : Vue actuelle de la cheminée en parpaings de béton enduits.

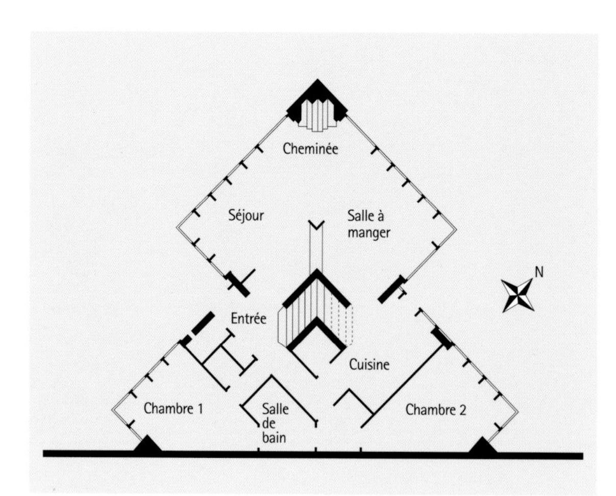

Le plan enchaîne deux carrés sur leur diagonale optimisant le développement des façades vitrées.

Départ de l'escalier menant au premier étage.

en forte saillie. Autour du volume principal de l'habitation, trois murets d'une hauteur d'un mètre environ viennent en souligner les angles droits. Surgissant parmi la végétation du jardin, ils sont une introduction à l'architecture de la maison.

Multipliant les vues sur le jardin, mais également depuis celui-ci sur l'intérieur de la maison, d'amples baies vitrées, avec montants en bois, occupent toute la hauteur du séjour. Elles dématérialisent les façades de la maison, offrent un ensoleillement optimal dans l'espace intérieur, et ouvrent sur le jardin environnant. Une cheminée monumentale, dont la maçonnerie reproduit le même bossage géométrique en saillie que celui du mur délimitant la parcelle, est ici disposée dans un des angles de la pièce principale. Elle favorise encore la jonction entre intérieur et extérieur, matérialisée par la présence d'un double âtre ouvert simultanément sur le salon et le jardin. Cette recherche d'une fluidité de l'espace se matérialise par une ouverture presque totale des volumes au rez-de-chaussée. Comme les autres habitations réalisées par l'Atelier à cette période, il est fait un usage quasi exclusif des blocs de Siporex de 120 x 60 x 25 cm jointoyés au ciment blanc, élu pour ses qualités physiques, thermiques et économiques, mais aussi pour sa facilité de mise en œuvre et sa séduisante blancheur.

Dans sa distribution intérieure, la maison se compose d'un rez-de-chaussée où se trouvent l'espace de séjour, la cuisine, une première chambre et sa salle de bains. Le séjour occupe l'espace de plan carré de ce niveau. Face à la cheminée dont elle reproduit le bossage, la cage d'escalier donne accès à un étage partiel. En haut des marches est ménagée une vue sur l'espace du séjour. S'y distingue aussi très nettement le système de chauffage à air chaud, diffusé par un conduit en bois suspendu qui fait le tour du séjour.

À l'étage se trouvent deux petites chambres auxquelles on accède par un étroit couloir. Les cloisons de bois qui bordent ce passage abritent étagères et petits placards. Ces deux pièces se répartissent de chaque côté d'une salle de bains.

La maison Weill est une des réalisations les plus abouties de l'Atelier d'Architecture et d'Aménagement. Les espaces ouverts sur l'extérieur, mais aussi communiquant les uns avec les autres, ménagent de multiples points de vue sur le jardin. D'une surface habitable de près de 100 m², la maison reste de taille modeste mais offre une véritable symbiose avec son environnement direct.

Vue de la maison
prise depuis la rue.
Le rythme des lignes verticales et horizontales caractérise cette réalisation, la seule qui soit recouverte d'un parement de briques alternant avec un bardage de bois.

Maison Fraysse

SAINT-MAUR-DES-FOSSÉS (VAL-DE-MARNE)

Situation : 30 avenue des Sapins, Saint-Maur-des-Fossés
Commanditaires : Monsieur et Madame Fraysse
Date de construction : 1966
Architectes : Atelier d'Architecture et d'Aménagement. Hervé Baley, Daniel Ginat, Alain Marcoz

Cette maison de 115 m^2 au sol est construite sur une parcelle étroite orientée est-ouest. Les architectes ont élégamment tiré profit de leur connaissance des maisons usoniennes de Frank Lloyd Wright, réinterprétant tout particulièrement certains éléments utilisés par l'architecte américain pour la première maison d'Herbert Jacobs (Wisconsin) de 1937 mais ajoutant un étage à ces réalisations, en général de plain-pied.
Visible depuis la rue mais en retrait, la maison est protégée des regards par un mur de clôture dont le soubassement en brique est surmonté d'une claire-voie en bois. Conçue d'après un plan en L élaboré à partir d'une trame carrée, elle se caractérise par l'imbrication de volumes géométriques. Cette juxtaposition consiste en deux carrés accolés et séparés d'un rectangle par un haut mur de briques abritant le conduit de la cheminée. À cette verticalité s'opposent les lignes horizontales formées par l'empilement des toits plats à larges débords séparés les uns des autres par des fenêtres en bandeaux.
L'habitation se compose d'un rez-de-chaussée, recouvert d'un parement en bardage de bois sur le côté droit et de briques apparentes sur le côté gauche, et d'un étage. Seul l'encadrement des fenêtres du salon, marqué par un jeu de briques disposées en piles saillantes, introduit un mouvement dans l'organisation régulière des façades. L'harmonie des teintes des matériaux employés, du brun au rouge foncé, favorise également l'impression d'équilibre qui se dégage de cette maison.

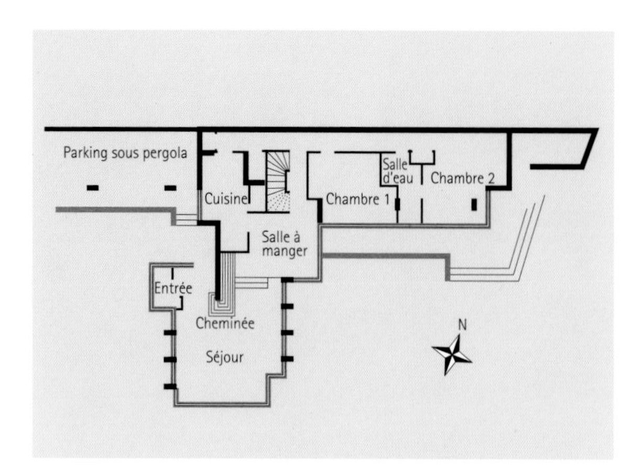

Vue postérieure de la maison. L'avant-corps situé à l'intersection des deux ailes de la maison correspond originellement à une terrasse, désormais fermée.

Vue de la cheminée placée au centre de la pièce de séjour. Cet espace organisé autour de la présence du foyer se caractérise par sa luminosité et la subtilité chromatique qui émane des matériaux (bois et briques) choisis.

L'arrière de la maison est percé au rez-de-chaussée de hautes portes-fenêtres séparées par d'étroites menuiseries qui ouvrent vers le jardin, dont les habitants sont toutefois séparés par un emmarchement. L'étage, recouvert d'un bardage de bois percé de fenêtres en bandeaux, était autrefois prolongé par une terrasse qui a été fermée, et qui correspond à la curieuse avancée centrale actuelle. Là aussi, les larges débords des toits plats signalent et protègent les différents niveaux de l'habitation.

Le séjour est rendu très lumineux par la superposition des différents niveaux de fenêtres bandeaux sur trois de ses côtés. Protégée des regards côté rue, cette pièce se structure autour d'une haute cheminée centrale en briques rouges, dont le manteau devient cloison à l'étage supérieur. Largement ouverte de l'autre côté, la pièce principale est fermée par de grandes baies qui permettent un accès de plain-pied au jardin. Un petit escalier dessert les pièces à l'étage, qui elles aussi sont toutes dotées d'une vue sur la végétation environnant la maison.

Vue ancienne prise au moment de la livraison du chantier. Les angles des toits et des balcons s'imposent dans le paysage pavillonnaire alentours. Les nombreuses fenêtres de chaque appartement offrent une vue panoramique sur Paris.

Maquette de la résidence, réalisée par l'Atelier d'Architecture et d'Aménagement. Il s'agit d'un projet qui n'a pas été réalisé.

Résidence Bellevue

CLAMART (HAUTS-DE-SEINE)

Situation : 71-73 rue de Fontenay, 92140, Clamart
Commanditaire : S.C.I. Résidence Bellevue
Date de construction : 1967
Architectes : Atelier d'Architecture et d'Aménagement. Hervé Baley, Daniel Ginat, Alain Marcoz

Cette réalisation de 18 logements, la plus ambitieuse de l'Atelier d'Architecture et d'Aménagement, a connu plusieurs avant-projets, très différents du projet final. La maquette de l'un d'eux est particulièrement intéressante car elle développe pour la disposition des trois corps de bâtiments un modèle proliférant et un principe d'étagement « en étoiles », proches de la formule qui sera mise en œuvre en 1970 par Jean Renaudie (1925-1981) pour les immeubles d'habitations d'Ivry-sur-Seine (Val-de-Marne) puis entre 1974 et 1981 à Givors (Rhône).

Animée par de nombreux retraits destinés à abriter des terrasses (aujourd'hui partiellement fermées par des vitrages), la façade antérieure, située en contrebas du niveau de la rue, se caractérise par son aspect expressionniste.

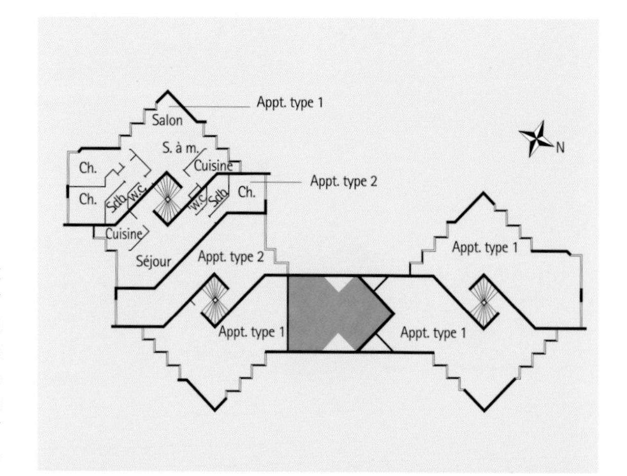

Vue de l'extrémité gauche de la façade bordée par l'accès piétonnier et la rampe d'accès des véhicules.

Dans sa forme actuelle, la résidence Bellevue adopte un plan plus conventionnel, dont la qualité principale est l'adaptation au dénivelé du terrain qui descend fortement. Construite sur le flanc d'une pente orientée nord-ouest, la réalisation répartie en trois modules selon un plan en L multiplie les points de vue sur le paysage urbain de Paris. L'accès pour piétons se fait depuis la rue de Fontenay, d'où un escalier en contrebas permet de rejoindre l'entrée du bâtiment le plus éloigné. De l'autre côté, une rampe dessert les garages en contrebas. Les façades, comme striées par les angles débordant des balcons perpendiculaires aux cloisons de séparation des appartements, offrent un aspect mouvementé.

Chaque module s'étage sur cinq niveaux : un soubassement, un rez-de-chaussée, puis trois étages. Le troisième corps de bâtiment, en contrebas, voit son élévation décalée par rapport aux deux autres corps de bâtiments mitoyens. Par le jeu du dénivelé, les rez-de-chaussée des bâtiments hauts correspondent au troisième étage du bâtiment bas.

Le hall d'entrée situé rue de Fontenay, au rez-de-chaussée, offre un espace d'accueil vaste dont le mobilier a été réalisé par les architectes. Dans chaque corps de bâtiment, les dix-huit appartements, de deux, trois, ou quatre pièces, sont distribués autour d'un escalier en vis central. Chaque logement dispose d'une double orientation.

Les terrasses triangulaires avec angle à 90 degrés offrent une vue dégagée et opèrent un retrait au fur et à mesure de leur superposition, ce qui permet aux terrasses des étages les plus bas de recevoir un ensoleillement optimal.

Pour l'aménagement intérieur, chaque appartement dispose d'une cheminée, mais toutes les distributions sont différentes, grâce à un système de cloisons amovibles montées sur vérins, selon le souhait des premiers occupants que l'Agence a associés à leur conception.

La résidence Bellevue présente, à une échelle importante, la synthèse des éléments qui caractérisent l'approche architecturale d'Hervé Baley : un plan conçu à partir d'une trame dont le développement s'inspire de la croissance cellulaire, le souci d'une architecture intégrée au site et enfin une attention aux besoins individuels des habitants, réalité qui fut celle de Daniel Ginat et de sa famille, habitants de la résidence pendant de nombreuses années.

Vue de l'escalier intérieur situé dans le hall d'entrée, côté rue. Les couleurs et le décor minéral sont restés inchangés depuis la réalisation de la résidence.

Vue actuelle d'une partie de la façade postérieure de la clinique.

Clinique des Charmilles

ARPAJON (ESSONNE)

Situation : 12 boulevard Pierre-Brossolette, Arpajon
Commanditaire : Charles Franck de Préaumont, propriétaire de la clinique
Date de construction : 1967-1969
Architectes : Atelier d'Architecture et d'Aménagement. Hervé Baley, Daniel Ginat, Alain Marcoz

Le chantier a été achevé par Alain Marcoz, seul signataire des plans, après son départ de l'agence. Aujourd'hui Hôpital privé Paris-Essonne, l'établissement a fait l'objet de deux agrandissements successifs en 2002 et 2012 qui ont considérablement modifié son aspect d'origine.

Vue ancienne de l'entrée principale de la clinique.

Pour la clinique des Charmilles, achevée en 1969 par Alain Marcoz pour son beau-frère, le docteur Charles Franck de Préaumont, le module de base est le cercle. D'une conception complexe, cet établissement se réfère aux modèles de plans courbes développés par F. L. Wright et en particulier au Daniel Wieland Motor Hotel de 1955. Cette distribution propose une réponse pertinente aux besoins spécifiques de ce type d'équipement.

Les toitures plates, étagées en terrasses, confèrent à l'édifice une horizontalité qui renforce d'autant plus les courbes et contre-courbes des façades. L'accord entre distribution intérieure et aspect extérieur n'en est que plus saisissant.

Réalisé sur une parcelle légèrement en pente, l'établissement est desservi par deux rues parallèles, ce qui permet d'aménager un accès visiteur au nord (rue Pierre-Brossolette) et au sud, en contrebas, un accès pour les professionnels et les urgences (rue de l'Aître).

La clinique, aux façades en brique, enchaîne les volumes ronds sur une grande courbe, centre de la composition qui comprend une succession de cellules. La façade est marquée par un haut cylindre aveugle qui forme l'axe autour duquel se développent la rotonde du pavillon d'entrée et la courbe du bâtiment principal. Les divers jeux de courbes offrent

des volumes convexes servant d'espaces de rangement dans les chambres. À l'arrière, le bâtiment principal est prolongé d'une vaste excroissance circulaire.

On descend vers un rez-de-jardin, qui tire parti de la dénivellation du terrain. Ce deuxième niveau, ouvert sur la façade arrière, était à l'origine conçu pour accueillir les urgences, il a conservé une petite morgue qui bénéficie de sa propre porte donnant directement sur l'extérieur. L'aile est du rez-de-jardin est quant à elle occupée d'un côté par les cuisines et la salle à manger et de l'autre par les salles de consultations. Au sous-sol se trouvent les espaces techniques.

Le hall est un vaste espace ouvert, coiffé par une verrière. Un escalier en vis s'enroule autour de la cage de l'ascenseur et dessert les deux niveaux de la clinique.

La sinuosité de cette réalisation est particulièrement lisible sur cette vue prise depuis le toit. Les bâtiments contemporains qui environnent la clinique recourent, dans un souci d'harmonie, à l'usage de la brique.

Aménagement du studio Vernay, 9 rue Campagne-Première, Paris, 14e arrondissment, vers 1969.

Les aménagements d'appartements

Dès sa création en 1959, l'Atelier d'Architecture et d'Aménagement consacre une part importante de son activité à l'aménagement d'appartements, offrant ainsi l'occasion d'éprouver le concept d'ambiance élaboré au début des années 1960 et mis en œuvre par Hervé Baley rue Henri-Barbusse.
En 1965, un article de la revue *Aujourd'hui, art et architecture* consacré à l'Atelier présente sa dernière réalisation, accompagnée d'une légende d'Hervé Baley : « C'est parce qu'il y a mouvement qu'il y a articulation/ l'articulation en détermine la pulsation / le rythme et l'enchaînement est mélodie ». Dans cet appartement situé rue du Docteur-Blanche, à Paris dans le XVIe arrondissement, le sol, les murs et la cheminée sont recouverts d'un parement de pierre dont la matité contraste avec la teinte chaleureuse du chêne utilisé pour l'escalier et la mezzanine. Dominique Zimbacca est l'auteur du meuble cubique, dissimulant un bar, visible aux pieds des marches.
En 1967, guidé par Hervé Baley, Patrice Goulet dessine les plans de son appartement situé 24 rue Dauphine, dans le VIe arrondissement de Paris, inspiré de celui de la rue Henri-Barbusse. L'emploi de diagonales accentue les grandes dimensions des pièces, et une monumentale cheminée de Siporex dont l'âtre s'ouvre sur le séjour et la chambre orne la pièce principale.

Aménagement de l'appartement Zimmerman, rue du Docteur-Blanche, Paris, 16e arrondissement, en 1966.

Vue de l'appartement de Patrice et Anne-Laure Goulet, 24 rue Dauphine, Paris, 6e arrondissement, en 1967.

En 1972, Patrice Goulet s'associe à Hervé Baley et Daniel Ginat et photographie plusieurs chantiers d'appartements : un studio où l'espace est démultiplié par le jeu des plans biais et du mobilier triangulaire, et un appartement dont les limites sont brouillées par l'ajout d'un faux plafond qui met en valeur la masse de la cheminée en Siporex à laquelle s'adosse la cuisine. À partir de la cheminée, une succession de plans verticaux réalisés en contreplaqué accentue les profondeurs.

L'atelier Baley, Ginat, Goulet commence alors de nouveaux projets. Le premier, rue de Mézières, dans le VIe arrondissement, pour le cinéaste Serge Roullet, qui souhaite pouvoir y projeter des films. Le jeu des sols et des plafonds, le doublage de la façade par des piles de Siporex cachant les panneaux permettant de faire l'obscurité, l'inclinaison du meuble séparant la cuisine de la chambre, le dessin des joints des revêtements de liège, tout concourt à étirer l'espace et à le rendre chaleureux.

Toujours au début des années 1970, Hervé Baley réalise en haut d'un immeuble des Champs-Élysées pour Maître Bomsel, un avocat dont il a précédemment aménagé les bureaux, un appartement courbe dont il dessine le mobilier. Toutes les portes y compris celles des placards de la cuisine sont également courbes et réalisées en polyester teinté dans la masse.

Vue de l'appartement de Serge Roullet, rue de Mézières, Paris, 6e arrondissement. Vers 1972.

Vue du chantier de l'appartement Bomsel, avenue des Champs-Élysées, Paris, 8e arrondissement, au début des années 1970.

Pour une autre modernité

Réalisations de Dominique Zimbacca 1969-2000

Photographie de chantier du socle de l'égise. C'est dans cette partie que se trouvent les locaux secondaires (chapelle de semaine, espaces de travail...).

Centre paroissial Jean-XXIII

SAINT-QUENTIN (AISNE)[121]

Situation : avenue Robert-Schumann, Saint-Quentin, Aisne
Date de construction : 1967-1969
Architectes : Jean Faugeron, André de Mot, Dominique Zimbacca (collaborateur)

Dominique Zimbacca, dont c'est la première réalisation architecturale importante, ne figure pourtant sur les plans extraits du permis de construire qu'au titre de collaborateur des architectes Jean Faugeron et André de Mot. Rappelons ici qu'il fréquenta l'atelier libre de Jean Faugeron à l'École des beaux-arts entre 1953 et 1959. Ce dernier était l'époux de Claude Nahas, une cousine de Dominique Zimbacca. Ces raisons peuvent expliquer que Dominique Zimbacca se voit vu confier cette réalisation, initiée en 1964 et dont la fortune critique a été immédiate. En effet, dès 1965, la maquette du Centre paroissial est publiée dans le n° 49 d'*Aujourd'hui, art et architecture*[122]. Quatre ans plus tard, le numéro 144 de *L'Architecture d'aujourd'hui*[123] présente les plans de l'édifice ainsi que plusieurs photographies du chantier, accompagné d'un texte de l'architecte. Enfin, en 1977, c'est *Architecture*[124] qui reproduit plusieurs vues intérieures, et en particulier celle de la salle d'assemblée.

Succédant à une église provisoire construite au milieu des années 1960, le centre paroissial Jean-XXIII, unique bâtiment public conçu par l'architecte, occupe une parcelle d'îlot légèrement en pente en bordure de l'avenue Robert-Schumann, une des voies principales de la ZUP de l'Europe réalisée par Jean Faugeron. Dans un paysage de tours et de barres à l'urbanisme caractéristique des grands ensembles, l'église impose son horizontalité. Dominique Zimbacca résume ce bouleversement ainsi : « Dans la nouvelle ville, l'habitation est élevée ; il faut y monter ; le sanctuaire sera creux, il faudra y descendre[125] ».
Ce quadrilatère, de plan centré et semi-enterré, est réalisé en béton banché. Prolongé par un parvis, le bâtiment est signalé par un « clocher horizontal », selon la terminologie choisie par l'architecte, qui « s'élance » jusqu'à l'avenue.

La confrontation du centre paroissial avec la stricte verticalité de la ZUP de l'Europe est particulièrement vive sur cette photographie prise au moment de la livraison du chantier.

Vue prise de la salle d'assemblée au moment de la livraison du chantier. Au centre, l'autel dessiné par Dominique Zimbacca.

Destiné au célébrant, ce siège adopte une composition voisine de celle de l'autel.

Cet autre modèle de siège de célébrant à l'apparente simplicité exalte, comme les autres éléments du mobilier réalisé par Dominique Zimbacca, la beauté du bois, matériau de prédilection de l'architecte.

D'une grande sobriété, l'autel, réalisé par assemblage de segments de poutre, impose sa monumentalité. Au second plan les fonts baptismaux, qui, comme le pavement, ont été repeints récemment.

Vue actuelle de la salle d'assemblée. Le pupitre et gradins sont de Dominique Zimbacca. Le plafond est aujourd'hui recouvert de dalles en polystyrène.

De nombreuses transformations ont amoindri l'originalité de ce bâtiment à la conception hardie. Les pans obliques des façades étaient à l'origine recouverts de cuivre, et percés d'ouvertures triangulaires. Si la maquette proposait un toit évoquant celui des pagodes asiatiques, le couvrement réalisé n'offre pas le même aspect mouvementé. Au centre de la toiture, un lanternon, aux parois transparentes et surmonté d'une croix, laisse entrer la lumière dans la salle d'assemblée.
Le premier niveau, de plain-pied, adopte une disposition qui rend la liturgie visible de tous les fidèles rassemblés autour de l'officiant, conformément aux prescriptions de Vatican II. On descend vers la salle d'assemblée bordée de gradins, acte qui induit « l'importance de l'acte du partage du pain[126] » et plus encore la notion d'« assemblée humaine » qui occupe une place essentielle dans la conception de l'architecture de Dominique Zimbacca.

Le niveau inférieur, sous la salle d'assemblée, est actuellement dédié au catéchisme et aux activités pastorales. L'architecte y a également placé la sacristie et la chapelle de semaine.
Le choix d'une grande sobriété décorative se lit dans l'importance accordée à la charpente, en lamellé-collé, seul ornement intérieur de l'édifice dont le sol est en béton peint. Dominique Zimbacca a dessiné l'ensemble du mobilier liturgique, dont la force plastique évoque de véritables sculptures.

Une restauration a eu lieu en 1982 sous la conduite de la direction départementale de l'Équipement de l'Aisne. La structure du toit en pavillon a été changée, et la charpente en bois remplacée par des pans de plexiglas. Le cuivre de la toiture a été entièrement enlevé et les fenêtres en bandeaux qui font le tour du bâtiment, initialement séparées par des tasseaux de bandeaux, sont désormais enchâssées dans des montants d'aluminium plus volumineux, ce qui a pour effet de réduire la luminosité de l'ensemble. Un incendie en 2003 a également obligé la fermeture de l'église durant presque deux ans. Enfin, en 2011, les plaques de cuivre qui recouvraient la façade ont été partiellement volées.

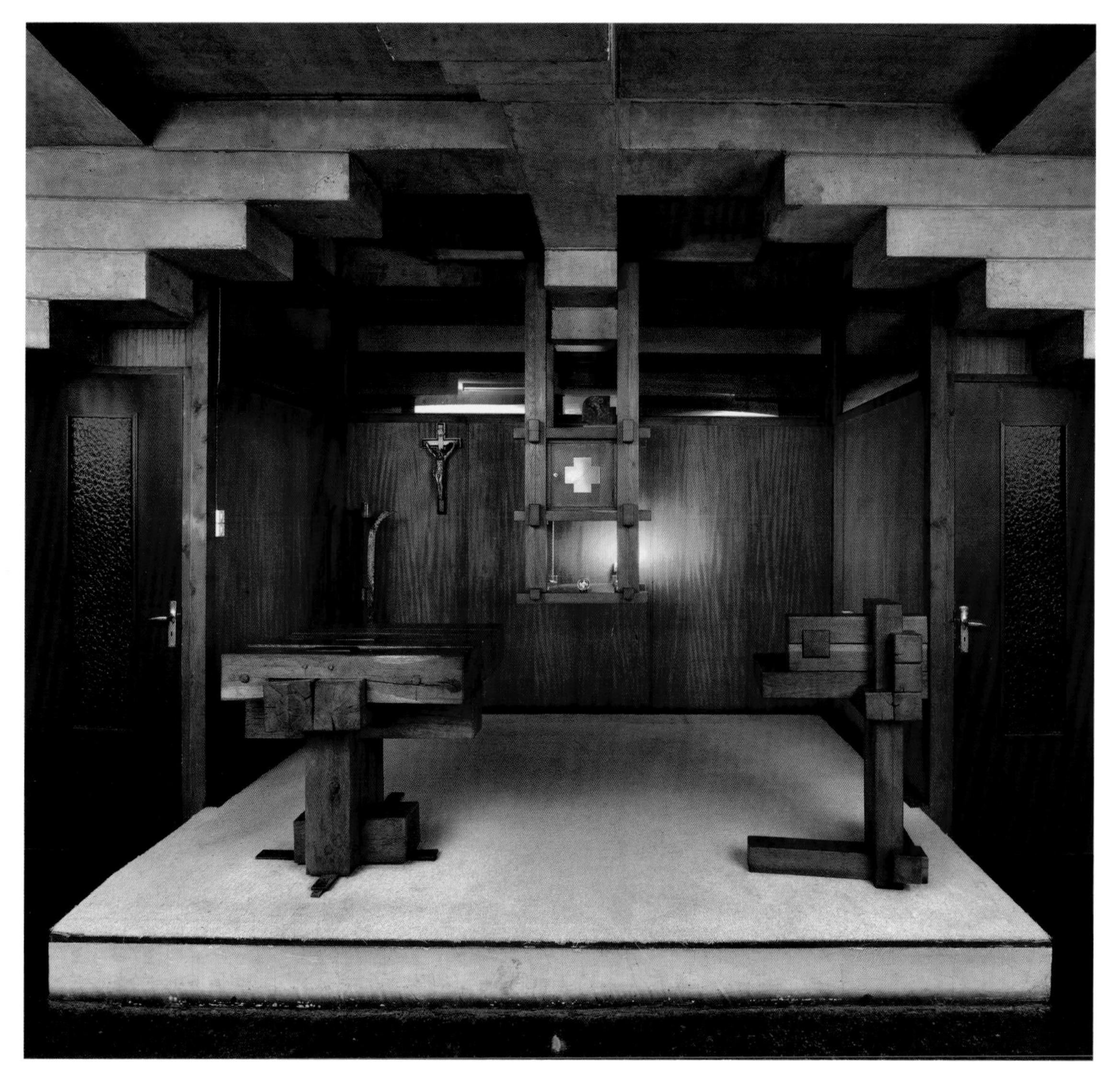

Vue du « clocher horizontal » et du lanternon (dont le verre n'a pas encore été remplacé par des plaques de plastique) qui laisse pénétrer la lumière dans la salle d'assemblée. Sur cette photographie, contemporaine de la livraison du chantier, la répétition du motif triangulaire des baies (modifiées en 1982) scande la partie inférieure de l'édifice.

Vue de la façade postérieure de la maison. L'horizontalité de cette réalisation et le jeu de superposition des toitures contribuent à sa parfaite intégration dans le site.

Maison Michard

CORBEIL-ESSONNES (ESSONNE)

Situation : 19 chemin des Longaines, Corbeil-Essonnes
Commanditaire : Monsieur Michard
Date de construction : 1976
Architecte : Dominique Zimbacca

Le premier projet pour cette maison a été élaboré en 1971 par une partie des membres du groupe « Art et Habitation », constitué d'étudiants de l'École spéciale d'architecture, réunis autour de Dominique Zimbacca. Suite au refus de cette proposition par le commanditaire, et après la dissolution du groupe en 1973, un nouveau projet est achevé par l'architecte en 1976, en collaboration avec le menuisier M. Jacomi.

La porosité entre l'extérieur et l'intérieur de la maison est favorisée par les nombreuses baies qui assurent la luminosité des pièces situées en contrebas, et ménagent des points de vue variés sur le jardin.

Cette première réalisation de logement individuel est pour Dominique Zimbacca l'occasion de mettre en œuvre, malgré un budget relativement modeste, la grammaire architecturale qu'il déclinera par la suite.
Celle-ci est immédiatement lisible dans l'utilisation de la déclivité du terrain et l'intégration de l'habitation dans un site encore préservé de l'urbanisation. Construite sur un ancien verger de 2 000 m², très vallonné et orienté sud, cette maison de 116 m² est implantée dans la partie supérieure de la parcelle.
L'utilisation fréquente chez l'architecte d'une trame hexagonale, adaptée à la forte pente du terrain, détermine un plan ouvert en éventail, dont les angles à 120 degrés permettent une pénétration optimale de la lumière. La façade nord, peu visible depuis la rue, est aveugle. En revanche, la façade sud s'ouvre généreusement sur un vaste jardin.

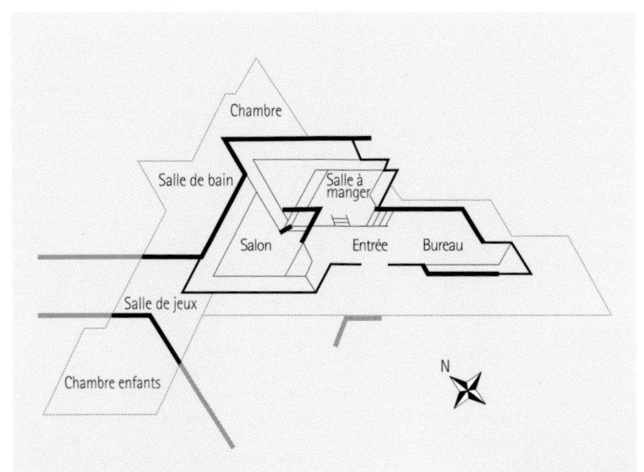

Cette maison-pont, répartie en deux corps de bâtiments reliés par une passerelle couverte, évoque un des premiers projets de Frank Lloyd Wright hors de la grille urbaine de Chicago, la A. Glasner House à Glencoe, 1905, Illinois, qui annonce, 30 ans auparavant, les maisons usoniennes. Son plan basé sur une trame triangulaire est plus proche des maisons de Wright des années 1940, comme « Snowflake », la C. D. Wall House de Plymouth, 1941, Michigan.

Dominique Zimbacca inaugure ici le choix d'une toiture plate recouverte de shingle et aux débords spectaculaires prolongés par un système de poutraison, d'où émerge une importante cheminée de parpaings Siporex. Là encore, on peut relever une forme d'analogie avec la Arnold Friedman House à Pecos, New Mexico, réalisée en 1948, où Wright développe à partir d'une toiture plate un réseau de poutres qui prolonge l'habitation et l'assimile à une tente.

À Corbeil-Essonnes, les façades sont rythmées par un soubassement de parpaings de Siporex orné de modillons quadrangulaires. Selon une formule ensuite récurrente, de longues baies horizontales courent de façon continue le long des façades et offrent une multitude de vues sur la végétation environnante. L'architecte avait au départ prévu de simples plaques de verre glissées dans une rainure, remplacées depuis.

C'est à Corbeil-Essonnes que Dominique Zimbacca réalise cette première version de maison-pont, qu'il décline ensuite à Boussy-Saint-Antoine, puis à Tourouvre. Ici, la passerelle est un espace de transition entre les chambres d'enfants et celle des parents.

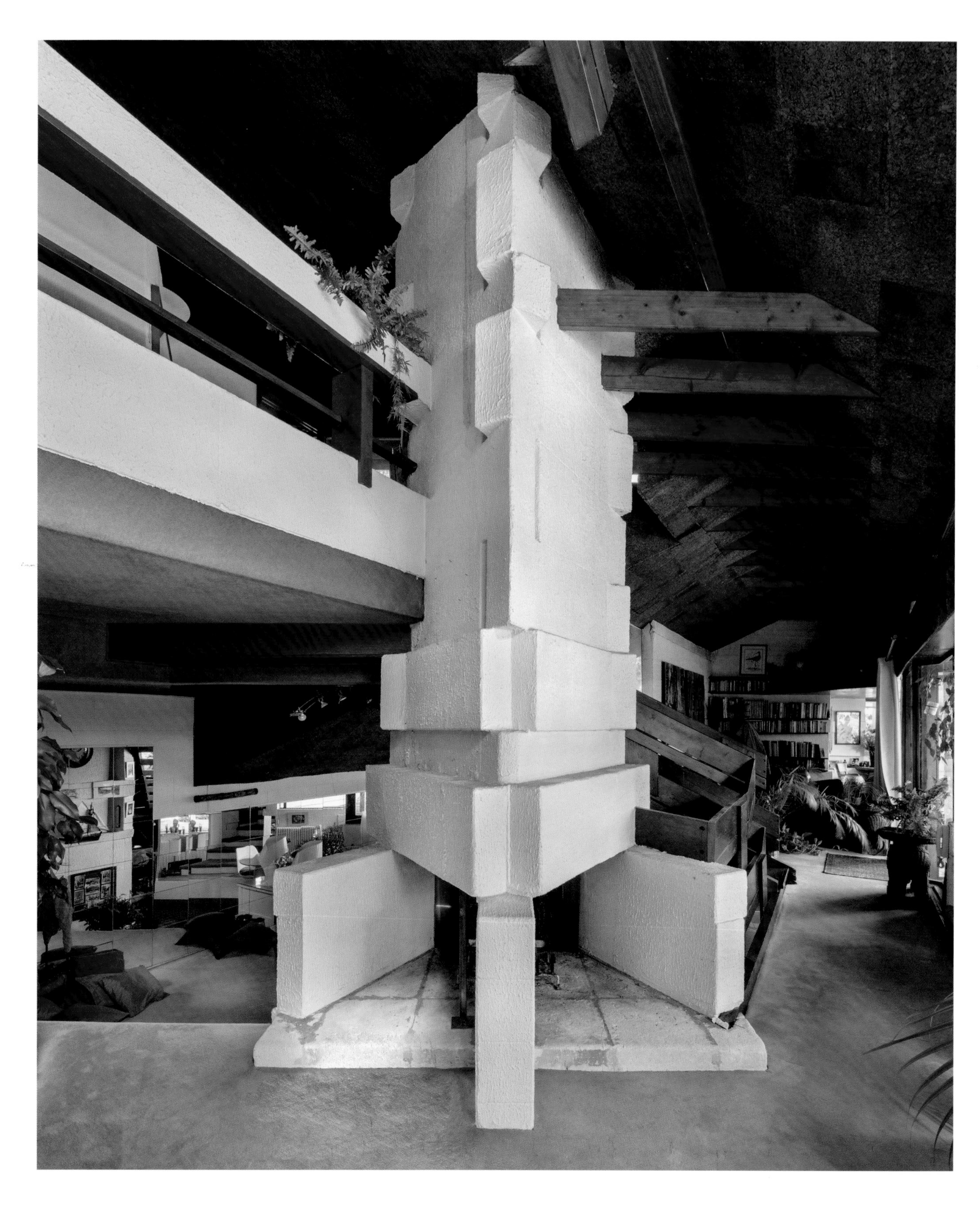

La disposition intérieure rayonne à partir de la monumentale cheminée centrale, véritable signature de l'architecte. Pivot de la maison, elle sert d'appui à l'escalier en bois, et rejoint la charpente dont les parties lambrissées sont recouvertes de panneaux de liège. Le jeu géométrique des poutres conjugué à l'harmonie chromatique qui se dégage des matériaux employés contribue à la fluidité de l'espace.
Principe constitutif de l'architecture de Dominique Zimbacca, le décloisonnement des pièces, réparties sur trois niveaux, est ici total. Partant de la cuisine semi-enterrée, trois marches conduisent à la première pièce de séjour, légèrement en contrebas du niveau du jardin. L'accès à la pièce principale de plain-pied est constitué d'un emmarchement qui évoque un système de gradins, selon un dispositif qui sera souvent repris par l'architecte. Plusieurs banquettes encastrées le long des murs permettent ici d'accueillir des réunions familiales et amicales.

À l'origine entièrement en parpaings de Siporex, la balustrade de la mezzanine du premier étage est aujourd'hui ouverte par des tasseaux de bois assemblés.

Autour de la cheminée s'enroule la rampe de bois de l'escalier qui dessert les trois niveaux de l'habitation.

Page de gauche :
Au rez-de-chaussée, la monumentale cheminée, réalisée en parpaings de Siporex, s'impose comme l'axe autour duquel s'organisent les différents espaces de la maison.

L'escalier permet d'accéder à l'étage où une mezzanine, elle aussi un motif fréquent, dessert les deux chambres de la maison.
Avec la maison Michard, Dominique Zimbacca met en œuvre un vocabulaire architectural dans lequel il ne cessera désormais de puiser. Cette réalisation est l'une de celles où le sentiment de l'espace est le plus prégnant. Ici la synthèse de la leçon tirée des œuvres de Wright et de Bruce Goff est mise au profit de l'élaboration d'une architecture libre et singulière.

Habitée par Dominique Zimbacca entre 1987 et 1993, cette maison, placée au sommet d'une butte artificielle, semble surgir du site en fonction duquel elle a été conçue.

Maison Zimbacca

VARENNES-JARCY (ESSONNE)

Date de construction : 1986
Situation : 10 bis sente de Gresles, Varennes-Jarcy, Essonne
Architecte : Dominique Zimbacca

Dominique Zimbacca fait construire cette maison pour y habiter, avec sa première épouse Geneviève, jusqu'en 1993. Il en a dessiné les plans, suivi le chantier et a également conçu le mobilier (qu'il emportera avec lui au moment de son installation à Tourouvre dans l'Orne).
Avec cette réalisation, autrefois totalement dissimulée dans la végétation, l'architecte approfondit les motifs élaborés précédemment, au profit d'une symbiose toujours plus harmonieuse entre l'habitat et l'environnement. Construite en fond de parcelle, sur un terrain initialement plat, la maison semble émerger du sol, car elle est construite sur une butte artificielle voulue par l'architecte et permettant un accès de plain-pied. Version inspirée d'un motif fréquent dans l'architecture pavillonnaire, « la taupinière »[127], ce soubassement impose une impression d'ancrage tellurique qu'accentuent les toits à très longs versants et la prolongation des poutres au niveau du sol.
À nouveau, Dominique Zimbacca développe un plan à partir d'une trame triangulaire. La maison se déploie horizontalement et épouse les différentes hauteurs de la butte, créant un jeu de niveaux lisible à l'extérieur comme à l'intérieur. Des espaces triangulaires placés au centre et aux extrémités étirent encore, par des terrasses, ce bâtiment fait de retraits et d'avancées.

Cet assemblage irrégulier de marches induit un poétique désordre dans l'agencement intérieur de la pièce de séjour.

Vue de la façade latérale de la maison.

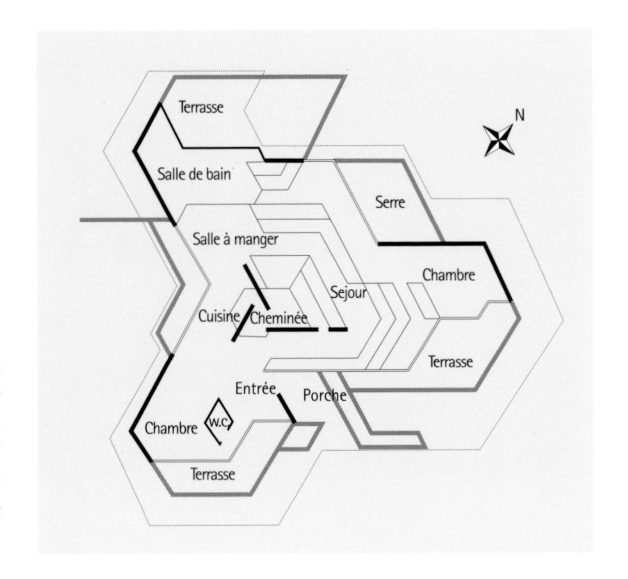

L'appréhension de l'habitation est progressive : un muret pointe vers l'entrée principale. Puis, le long bandeau des baies vitrées s'impose. Le troisième plan, proportionnellement le plus important, est formé par la toiture qui enveloppe et protège la maison et dont les pans de tailles différentes évoquent un origami. Au sommet, un lanterneau adossé à la cheminée éclaire la mezzanine située en dessous.

Développant à une plus grande échelle la formule initiée à Corbeil-Essonnes, la maison est organisée autour d'une imposante cheminée centrale à double foyer, située en contrebas de larges gradins dissimulant des coffres, et dont les contours se prolongent jusqu'à la porte d'entrée pour former un petit amphithéâtre.

Les parois de cette pièce sont vitrées et bordées pour une part de jardinières intérieures. Dans cette maison, Dominique Zimbacca reprend un principe de mezzanine (fermée par le nouveau propriétaire) en surplomb de la pièce principale.

En effet, tous les espaces de la maison sont ouverts et communiquent les uns avec les autres. Cette impression de cohérence est renforcée par la présence de mobilier dessiné par l'architecte, et toujours visible dans la cuisine.

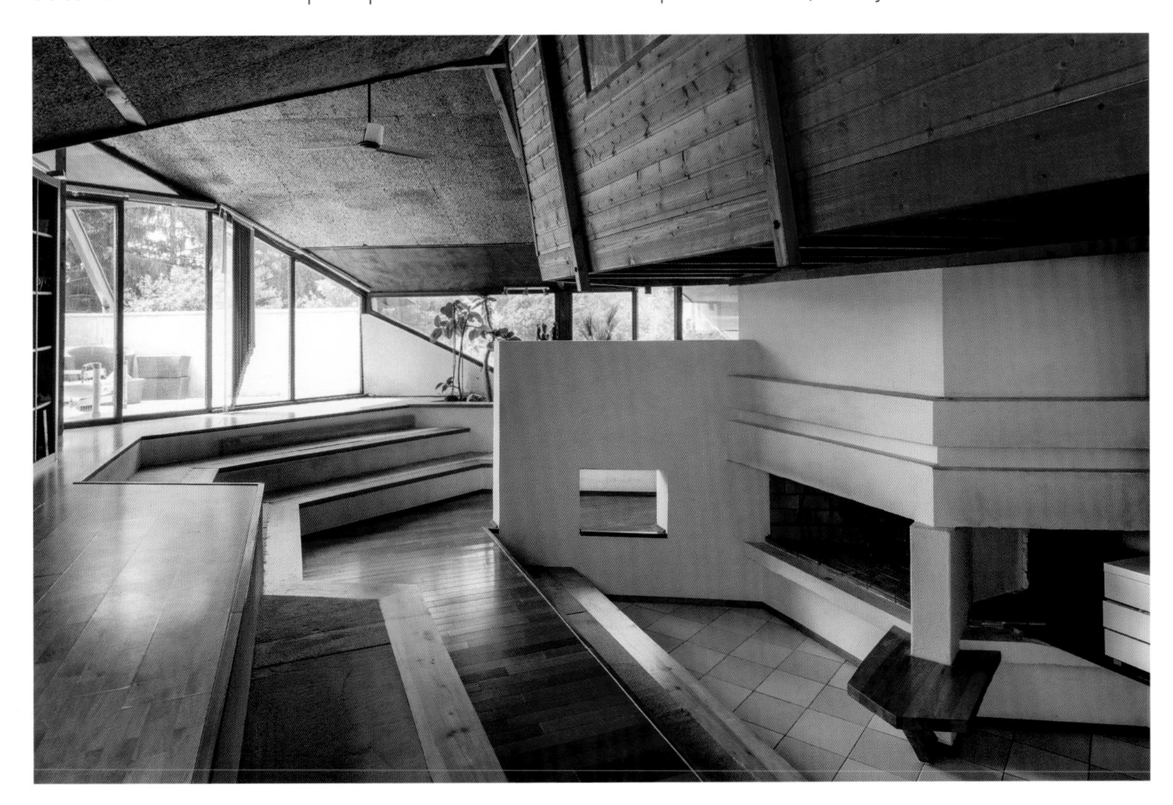

Bien que le plancher originel ait été partiellement remplacé par du carrelage, l'harmonie générale de la pièce principale, organisée autour du foyer de la cheminée centrale, demeure inchangée.

Maquette du deuxième projet pour le Hameau de Bellevue, vers 1980. Quatre maisons devaient initialement être réparties sur l'ensemble du terrain. Épousant la pente du terrain, la façade principale de chacune d'entre elles est prolongée de nacelles de tailles et de hauteurs différentes.

Hameau de Bellevue

YERRES (ESSONNE)

Au début des années 1970, Dominique Zimbacca hérite à Yerres d'un terrain de 2 500 m^2 sur lequel se trouve la maison familiale qu'il habite jusqu'en 1985. Le divisant en trois lots, il élabore un projet immobilier qu'il baptise *Le Hameau de Bellevue*. L'architecte développe plusieurs propositions, qui trouvent leur source dans une maquette de 1974[128] de six maisons « en forme de parapluie, intimes mais largement ouvertes sur le soleil ». Les documents promotionnels postérieurs précisent ce projet, désormais réduit à quatre maisons. Le vocabulaire utilisé est le reflet de la conceptualisation de la pensée de l'architecte : « espaces de vie », « simples circulations », « chambre belvédère », « chambre nacelle », salle à manger reprenant la forme d'une « conque ».

Les deux maisons qui seront réellement construites (la maison Andrès est une transformation de la maison familiale), en collaboration avec le menuisier Jacques Mauraisin, appliquent la conception organique de l'architecture de Dominique Zimbacca, tout particulièrement la maison von Bredow, dont l'état n'a pas été modifié, à la différence de la maison Bru. L'architecte a su jouer du vallonnement du terrain pour créer un véritable décor végétal dans lequel s'intègre le lotissement. Échelonnées sur la pente du terrain, les maisons, en contrebas de la rue, disparaissent dans la végétation.

La façade sur le jardin de la maison, dont une partie se reflète dans le miroir d'eau située en contrebas, se déploie dans un cadre de verdure qui la dissimule totalement du voisinage.

Maison von Bredow

YERRES (ESSONNE)

Situation : 101 rue de Bellevue, Yerres
Commanditaires : Madame et Monsieur von Bredow
Date de construction : 1988
Architecte : Dominique Zimbacca

Le plan de la maison von Bredow adopte une forme allongée, augmentée du côté sud de développements matérialisés par des pyramides vitrées. Provoquant un effet de surprise qu'il affectionne, l'architecte offre d'abord à la vue le toit de l'habitation, dont les très longs pans recouverts de shingle effleurent le sol. Il faut emprunter un passage couvert latéral pour parvenir à la terrasse qui longe la façade principale, complètement orientée au sud. Tout autour, une immense pergola en bois prolonge la charpente et étend d'une manière spectaculaire ses ramifications, abolissant les limites entre le jardin et l'habitation.

La mezzanine, située au-dessus de la pièce de séjour, est accessible par un escalier de bois, dont la balustrade n'est fermée que par des plaques de plexiglas.

Largement vitrée et ouverte sur le jardin, la mezzanine est placée directement sous l'importante charpente. Comme dans les maisons de Frank Lloyd Wright, l'espace du grenier a disparu des maisons de Dominique Zimbacca.

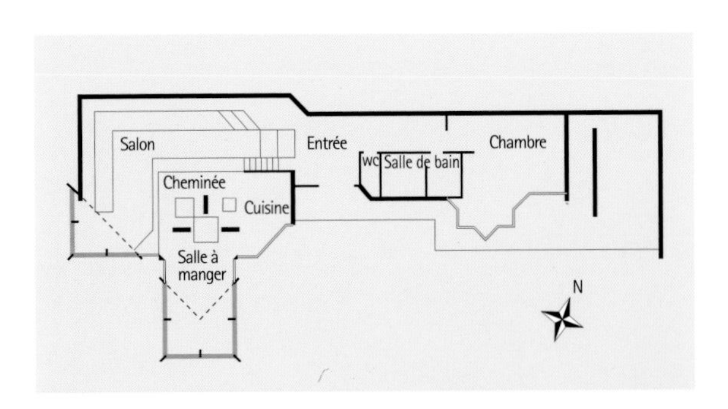

Le rez-de-chaussée, de plain-pied, se compose d'un vaste espace de séjour dont le centre est occupé par une imposante cheminée de plan cruciforme que l'architecte a choisi de recouvrir de plaques de laiton qui réfléchissent la lumière. Ses deux foyers alimentent le salon et la cuisine.

Au-dessus de la cuisine, une mezzanine dévoile une impressionnante charpente. Le garde-corps, totalement transparent, accroît l'impression de clarté qui règne dans cette maison.

Les pièces privées (une chambre et une salle de bains) desservies par un petit couloir sont reléguées à l'opposé du séjour.

La façade postérieure de la maison est largement ouverte sur le jardin par une série de baies triangulaires.

Le développement du système de poutraison se prolonge, à l'une des extrémités de la maison, en une longue pergola, liaison entre le jardin et la maison.

Au centre de la pièce de séjour, une grande table à manger s'intègre à l'arrière de la cheminée. Ce bloc constitue l'axe structurel et symbolique de l'habitation.

Page de groite :
Le jeu des lignes horizontales qui cernent la cheminée fait alterner le bois, le laiton et le Siporex, jusqu'à se confondre avec la rampe qui borde la mezzanine au-dessus.

La façade principale joue du contraste entre la blancheur du Siporex et le bardage de bois recouvrant les nacelles.

Maison Ducourneau

BOUTIGNY-SUR-ESSONNE (ESSONNE)

Date de construction : 1992
Commanditaire : Monsieur Ducourneau
Situation : 21 bis rue de Marchais, Boutigny-sur-Essonne
Architectes : Dominique Zimbacca, puis Philippe-Alain Riou

Commandé au début des années 1990 à Dominique Zimbacca par Serge Ducourneau, pilote de ligne, le chantier est suivi puis achevé, lorsque Dominique Zimbacca prend sa retraite, par Philippe-Alain Riou (né en 1953), ancien élève d'Hervé Baley à l'École spéciale d'architecture dont il est diplômé en 1982.
Élaborée selon la typologie de la maison-pont inaugurée par l'architecte en 1976 avec la maison Michard à Corbeil-Essonnes, la maison Ducournau comportait originellement une passerelle voûtée en berceau qui assurait sa liaison avec le garage. La dernière maison de Dominique Zimbacca à Tourouvre (Orne) est également une variante composée à partir d'un plan similaire.
La maison Ducourneau, invisible depuis la rue et accessible par un sentier perdu dans la végétation, est située en haut d'une parcelle très étirée et pentue, orientée est-ouest. Juchée au sommet d'un affleurement de grès caractéristique du massif de Fontainebleau, la maison, entourée par la forêt, s'intègre dans un environnement des plus remarquables. Conçu d'après une trame triangulaire, le plan articule trois ailes (ouest, sud, et est) autour d'un espace central. Marquée par une forte horizontalité, la maison s'adapte aux différences de niveaux (en particulier grâce à la présence d'un sous-sol partiel) et joue de la multiplication des points de vue.
L'ensemble est coiffé d'une toiture organisée selon un jeu complexe de décrochements et de débords lambrissés, dont la géométrie est accentuée par le contraste des matériaux.
Les espaces du rez-de-chaussée, d'une surface de 150 m^2, s'enchaînent à partir d'une pièce centrale où surgit un énorme rocher de grès qui rappelle la nature géologique du site. L'irruption de cette présence massive brouille les frontières entre domestique et sauvage, intérieur et extérieur, comme F. L. Wright pour le salon de la « maison sur la cascade » pour Edgar J. Kaufmann (Fallingwater), 1939, Pennsylvanie. Enfin, à nouveau, une vaste cheminée centrale est située en contrebas de gradins, une disposition qui évoque un intime amphithéâtre.

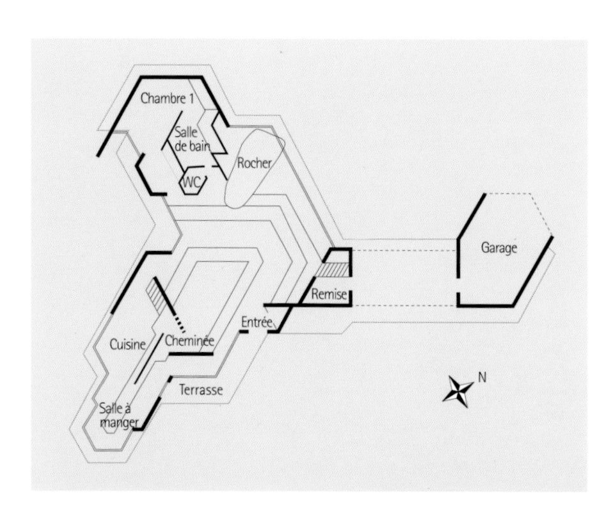

À l'est, à l'aplomb de la pente, se trouvent la cuisine et sa salle à manger, où est toujours visible le mobilier dessiné par Dominique Zimbacca : une longue table intégrée en bois massif prend place à l'extrémité de la pièce qui se prolonge en terrasse. L'aile ouest abrite une première chambre qui dispose d'une salle de bains et dans laquelle la roche surgit à nouveau. L'aile nord en revanche est interrompue au rez-de-chaussée par le percement d'un arc en berceau, permettant un passage vers l'extérieur. Un garage se trouve à l'extrémité de cette aile, et dans la partie opposée, un escalier permet d'accéder à la mezzanine ouverte de 80 m^2, qui constitue l'unique étage de la maison et offre un point de vue sur le salon tout à fait remarquable.
En 1997, d'après les dessins de Dominique Zimbaca, la passerelle est modifiée pour supprimer la voûte en berceau au profit d'angles droits. Puis les propriétaires actuels ont fermé ce passage en faisant installer une véranda, modifiant considérablement l'aspect de la maison.

C'est depuis l'espace de la mezzanine que l'intégration du massif de grès dans l'extrémité de la pièce de séjour est la plus remarquable.

Dans cette variation autour du modèle de maison-pont initié à Corbeil-Essonnes, Dominique Zimbacca compose avec la forte déclivité du terrain pour réaliser une habitation parfaitement intégrée au site. Quelques années après sa réalisation, l'espace situé sous la passerelle a été fermé par un jardin d'hiver.

Construite en surplomb du lac du Bourget, la maison, invisible depuis la route, se dévoile au-dessus de la frondaison des arbres qui l'environnent.

Maison Etienne

LA CHAPELLE-DU-MONT-DU-CHAT (SAVOIE)[129]

Date de construction : 1990-1993
Commanditaire : Monsieur Etienne
Situation : La Ferme Palatin, La Chapelle-du-Mont-du-Chat, Savoie
Architecte : Dominique Zimbacca

Deux nacelles de bois, qui semblent suspendues au-dessus du vide, offrent une vue panoramique sur le lac du Bourget.

Après avoir découvert la maison de Marcel Michard (Corbeil-Essonnes) dans l'ouvrage de Dominique Amouroux *Nouvelles architectures de maisons en France*[130], Jean-Louis Etienne prend contact avec Dominique Zimbacca à l'occasion du Salon de la maison individuelle en 1988.

Pour cette habitation, située à La Chapelle-du-Mont-du-Chat, à 8 km au nord du Bourget-du-Lac, et destinée à être sa résidence principale, Jean-Louis Etienne établit un programme précis à partir d'un budget initialement modeste. Il y détaille ses attentes en matière d'utilisation de l'espace, et demande à l'architecte de tirer le plus grand parti de l'environnement en ouvrant des vues diversifiées sur le lac et la forêt. Des volumes ouverts doivent caractériser la disposition intérieure. M. Etienne est en effet grand amateur de musique, et désire que celle-ci circule librement et soit audible partout. Le recours à l'utilisation des éléments de structures (maçonnerie, charpente) comme éléments décoratifs (étagères, niches, etc.) est souhaité pour limiter l'emploi de meubles traditionnels.
Un permis de construire est délivré le 4 juin 1988, à partir du second projet de Dominique Zimbacca, après approbation par la Commission des sites.

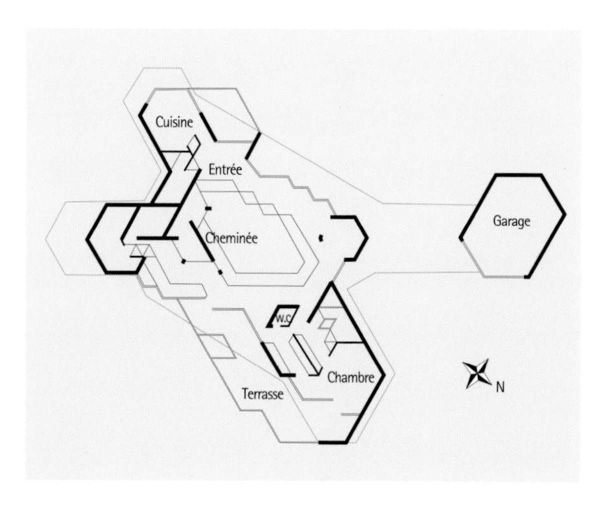

L'histoire de cette réalisation a été longue et compliquée, à tel point que Dominique Zimbacca a choisi de mettre fin à sa mission en 1991 et que la réception des travaux n'a eu lieu qu'en juin 1993.

Construite sur un terrain de 6 750 m² environ, à une altitude d'environ 600 m et dominant le lac du Bourget, la maison, de 200 m² habitables, est située dans un site très spectaculaire et jouit d'un magnifique panorama. La forme générale du plan, qui repose sur une trame hexagonale, adopte celle d'un oiseau, dont la queue serait constituée par le garage creusé dans le rocher. Elle se prolonge par un passage couvert menant à l'entrée principale, selon un dessin qui rappelle la maison Auriol construite par Edmond Lay en 1980 à Gabaston. La déclivité du terrain et la vue sont exploitées par la bordure de terrasse qui entoure le côté est de la maison. L'enchaînement des toitures, couvertes de shingle, rend compte de l'éclatement très complexe de l'espace. L'interpénétration des pans percés de baies ménage de nombreuses vues facettées sur le paysage. Deux nacelles de bois, suspendues à la façade par d'importantes poutres, surplombent le lac et accentuent encore l'aspect fantastique de cette habitation.

Cet accès, placé sur une façade latérale, s'offre, par le jeu des pans du toit et l'espace créé par les murets, comme un espace de transition entre l'extérieur et l'intérieur.

Une imposante cheminée marque le centre de la salle de séjour. Comme dans plusieurs autres réalisations, l'âtre se trouve ici en contrebas d'une succession de gradins.

Page de droite : L'espace de séjour, sans cloison aucune, est traversé par la passerelle de bois qui donne accès aux espaces des nacelles.

L'intérieur de la maison est organisé à partir d'un rez-de-chaussée de plain-pied, bordé par des murs qui s'interpénètrent à 120 degrés et répondent à la complexité du plafond, entièrement lambrissé. Cet espace unique est animé par des jeux de niveaux qui seuls permettent la différenciation des espaces, sans recours à des cloisons. Marqué par une ambiance chaleureuse apportée par la lumière des baies vitrées en dents-de-scie, ce vaste salon central, bordé de gradins, est enjambé par une passerelle de bois, semi-ouverte. Cette liaison entre les deux pièces (une chambre et un bureau) correspondant aux nacelles visibles à l'extérieur est accessible par deux volées de marches triangulaires.

La façade postérieure de la maison dévoile une vaste nacelle de bois, véritable axe de l'habitation. Le long des murs du bâtiment donnant sur le jardin, des jardinières intégrées à la maçonnerie matérialisent un espace intermédiaire.

Maison Martin

NOISY-LE-GRAND (SEINE-SAINT-DENIS)

Date de construction : 1989
Commanditaire : Madame Martin
Situation : 65 rue de la République, Noisy-le-Grand
Architecte : Dominique Zimbacca

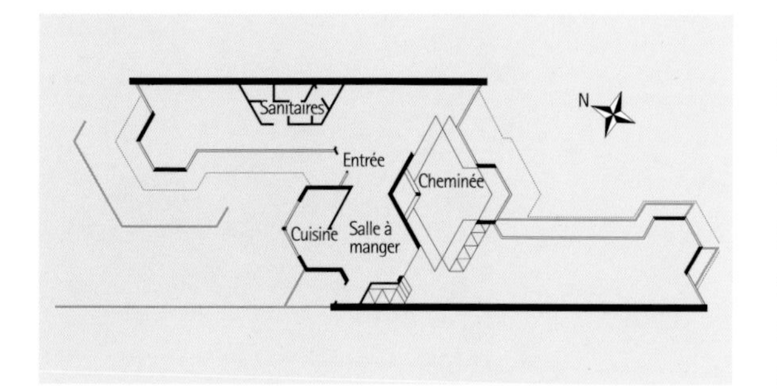

Cette réalisation, commandée par Mme Martin, amie de Dominique et Geneviève Zimbacca, consiste au départ en un ensemble mixte de bureaux et de logement, désormais reconverti en habitation.

Sur une étroite parcelle en bandeau, l'architecte a réussi à déployer une surface bâtie de 194 m² en évitant toute monotonie grâce à l'enchaînement des décrochements et des retraits en façade. À partir d'une trame triangulaire, Dominique Zimbacca a su proposer un plan original et dépasser l'importante contrainte de la parcelle pour préserver un véritable espace à l'avant de la maison et un jardin à l'arrière. Réalisée en Siporex, la maison est entièrement ceinte de jardinières intégrées à la maçonnerie.

À l'intersection des deux ailes de plain-pied, une importante « nacelle » de bois évoque ici encore certaines architectures fantastiques de Bruce Goff. Elle abrite une première pièce en contrebas, accessible par des gradins, qui ouvre sur le jardin et où se trouve le foyer principal de la cheminée. Un escalier de bois permet ensuite d'accéder à une mezzanine qui offrait autrefois une vue sur tous les espaces de la maison. Une dernière volée de marches donne enfin accès à la chambre.

Aujourd'hui condamné, ce foyer de la cheminée centrale était ouvert dans la chambre. Un foyer similaire existait à chaque niveau de l'habitation.

Maison Bonnefoi

CHENNEVIÈRES-SUR-MARNE (VAL-DE-MARNE)

Jardin
Entrée
W.C.
Séjour
Salle de bain
Chambre
Piscine
Salle de bain
Chambre
W.C.
N

Date de construction : 2000
Commanditaire : Monsieur Bonnefoi
Situation : 11 bis - 13 rue de l'Aqueduc, Chennevières-sur-Marne
Architectes : Dominique Zimbacca et Philippe-Alain Riou

Invisible depuis la rue, la maison se développe selon la déclivité du terrain.

La façade ouest offre un panorama spectaculaire sur Paris.

Cette maison est le dernier projet de Dominique Zimbacca, qui, une fois à la retraite, le confie, comme à Boutigny-sur-Essonne, à Philippe-Alain Riou.
La maison Bonnefoi est juchée au faîte d'un terrain en pente de 655 m² et dispose d'un point de vue exceptionnel sur l'Ouest parisien. L'habitation s'étend sur la largeur de la parcelle, ses différents niveaux sont échelonnés selon l'inclinaison de la pente, permettant, où que l'on se trouve à l'intérieur de la maison, de jouir de nombreuses échappées panoramiques. C'est la seule réalisation de l'architecte qui utilise en façade des bardages en bois pour renforcer l'horizontalité de la maison et son ancrage dans le sol.
Réalisée selon un plan à trame hexagonale, l'habitation est couverte d'une toiture de shingle aux pans à double pente, dont les larges débords se transforment en pergola. Elle se caractérise par l'enchaînement de ses volumes polygonaux dont les angles s'interpénètrent à l'extérieur comme à l'intérieur, le jeu des murs à 120 degrés, et l'absence quasi-totale de cloisons. Au rez-de-chaussée, une vaste cheminée à trois foyers entourée de gradins forme l'axe vertical d'un premier espace de séjour. Un petit escalier dessert le premier étage où se trouve l'entrée de la maison, soit au point le plus haut du terrain. Ce niveau consiste en une vaste pièce qui offre un point de vue imprenable sur la perspective parisienne et qui est surmontée d'une petite pièce sous comble largement vitrée, faisant office de belvédère. À l'extérieur, ce très grand salon est prolongé d'une terrasse dotée d'une piscine à débordement qui semble suspendue dans le vide.
Adaptation au terrain, fluidité des circulations horizontale et verticale dans les espaces intérieurs sont les caractéristiques de l'architecture que Dominique Zimbacca réinterprète ici, au profit d'une intégration harmonieuse de la maison dans un site pourtant très urbanisé.

Pour sa dernière habitation, Dominique Zimbacca propose une dernière version de maison-pont où la passerelle joue le rôle de trait d'union entre les pavillons circulaires qui composent la maison.

Maison Zimbacca

LES COUDRAIS, TOUROUVRE (ORNE)

Date de construction : 1997
Situation : Les Coudrais, Tourouvre (Orne)
Architecte : Dominique Zimbacca

Après la vente de la maison de Varennes-Jarcy, Dominique Zimbacca et son épouse Geneviève recherchent un nouveau lieu de vie, qu'ils souhaitent en pleine nature, dans un lieu préservé de l'urbanisation. Tous deux sillonnent alors la France jusqu'à découvrir le village de Tourouvre dans l'Orne.
Au départ, Dominique Zimbacca achète une petite maison dont il modifie les fenêtres et l'aménagement intérieur. Il acquiert ensuite le vaste terrain voisin pour y construire sa nouvelle habitation d'une surface de 253 m^2.
La maison, orientée plein sud, s'inscrit dans un paysage bucolique, scandé par la seule silhouette des arbres qui l'environnent. Juchée sur la hauteur d'une butte, elle est accessible par une route en contrebas, d'où elle se dévoile dans son ensemble. L'utilisation de la déclivité du terrain par un jeu de niveaux et de hauteurs rend son intégration dans le site très harmonieuse.
Dominique Zimbacca greffe ici pour la première fois, sur le type de maison-pont précédemment réalisé, un modèle de plan circulaire où s'impose l'idée de prolifération organique. Émergeant d'une butte naturelle, un bâtiment central coiffé d'un toit plat agrège trois pavillons circulaires recouverts de toitures « en chapeau chinois ». Ces excroissances se développent de manière décalée aux extrémités de l'habitation. La façade postérieure, où se trouve étonnamment la porte d'entrée, ouvre sur la forêt. De nombreuses baies percées sur les deux façades favorisent l'effacement entre l'intérieur et l'extérieur, et procurent une luminosité qui

Chaque pavillon recèle une imposante charpente, laissée visible par l'architecte.

Page de droite : Aujourd'hui détruite, cette gloriette, selon les termes de l'architecte, était accessible par un petit pont posé sur un miroir d'eau circulaire.

Pivot de la maison, l'axe formé par la cheminée (aujourd'hui peint en blanc) marque la séparation entre les chambres et les espaces de réception, situés en contrebas.

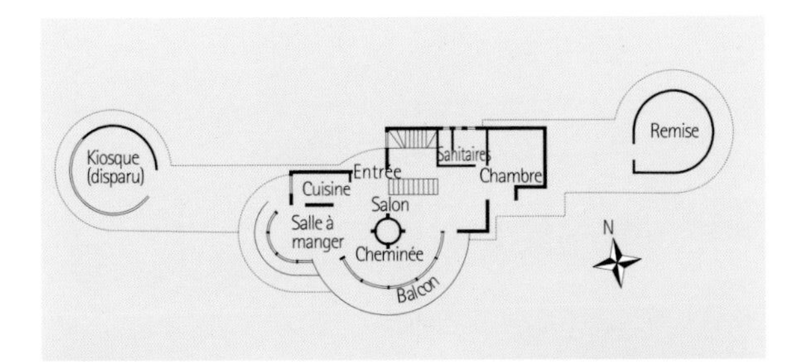

évolue tout au long du jour. Originellement se trouvait à l'ouest une gloriette reliée à la maison par un pont de bois qui enjambait un bassin aujourd'hui disparu. Elle semblait, selon les termes de l'architecte, « flotter sur l'eau ». Des menuiseries soulignent l'orbe des toitures et jouent le rôle de brise-soleil, cernant la maison d'un mouvement ondulatoire.

L'intérieur sépare clairement pièces communes et espace privé. Dans les deux pavillons accolés, la cuisine et la pièce de séjour, de plain-pied, s'organisent à partir d'une cheminée spectaculaire. Au-dessus de l'arche du pont, et accessible par un petit escalier, les pièces intimes sont complètement ouvertes et la chambre de l'architecte, située dans le dernier pavillon, dispose quant à elle d'une vue panoramique sur la nature environnante.

En 1963, Dominique Zimbacca réalise, pour Jacques et François Gall, journalistes et écrivains, cette grande table de travail et ces suspensions en bois et en tôle d'aluminium gaufrée, de hauteur réglable et glissant sur un rail.

Le mobilier de Dominique Zimbacca

AMBRE TISSOT

PREMIÈRES EXPÉRIMENTATIONS

Les difficultés qu'a rencontrées Dominique Zimbacca à obtenir des commandes architecturales l'ont conduit, entre 1959 et 1973, à se tourner vers la création de mobilier, une discipline qu'il envisage néanmoins sous l'angle de l'architecture. C'est dans ce domaine qu'il exprime et affine ses théories. Ses premières créations sont éditées par de jeunes designers tels que Françoise Sée et Pierre Chapo (1927-1987) ; leur collaboration sera néanmoins de courte durée.
On retrouve, dans ces premières créations, les poncifs qui constituent l'essence de sa production : l'usage du motif de la pointe de diamant[131], qui lui permet d'encastrer des poutres de section triangulaire, composant le meuble comme une charpente. Sa structure, aux formes simples et géométriques, est lisible au premier regard ; Dominique Zimbacca emprunte les principes de la stéréotomie afin de composer des meubles faits d'empilements de bois dont il résulte une impression de force et d'équilibre.
C'est également à cette époque qu'il réalise ses premiers aménagements intérieurs, marqués par la contrainte de réhabilitation de petits appartements, dont il faut optimiser l'espace. Il parvient à des solutions très astucieuses, en rejetant la ligne droite. La création de lignes de fuite dynamise l'espace et accentue l'impression de profondeur. L'œil n'est pas arrêté par une surface plane ou un angle droit, mais il glisse au fil des diagonales. Ce refus du rythme binaire des volumes répond également à la théorie de Zimbacca selon laquelle l'homme habite les coins, et non le centre des pièces[132] : les coins permettent d'y placer des meubles, de créer des lieux de vie, de provoquer un déséquilibre qui défie les lois de la symétrie. Son approche globalisante conçoit l'espace comme un tout, prenant en compte les besoins et les déplacements de l'habitant. Chaque détail est employé à créer une atmosphère chaleureuse et conviviale, jusqu'aux dispositifs d'éclairage en laiton réfléchissant une lumière indirecte et diffuse, un élément que l'on retrouve dans de nombreuses réalisations.

En 1965, Dominique Zimbacca expose les meubles issus de sa collaboration avec Françoise Sée à la Galerie M.A.I. située au 12 rue Bonaparte et qui participe alors activement à la promotion des jeunes designers français.

Parmi les premières expositions personnelles de Dominique Zimbacca, celle de la galerie Raymond Cordier à Paris, vers 1960. Les meubles qui y sont présentés ont été dessinés avec Hervé Baley.

En 1964, Dominique Zimbacca réalise l'aménagement d'un petit appartement dans une HLM, à Clichy-sous-Bois. Pour favoriser l'intégration de l'ensemble mobilier « Triton », il ajoute une grande structure faite de tasseaux de bois, reprenant le motif principal des chaises et de la table.

Venez voir...

des meubles généreux
dans les plus vieux et
plus beaux bois de France

deux artisans
de la région parisienne

deux artistes du bois
imaginatifs, épris
de beau travail
et de noble matière

fidèles à la tradition
artisanale du vrai
qui est invention

créent un style
pour notre époque
taillant des formes hardies
souvent surprenantes
toujours logiques
robustes et vivantes

dans la beauté chaleureuse
du matériau antique

ils sont à même
de satisfaire aujourd'hui
ce désir d'authenticité
exprimant votre personnalité

en vous proposant des pièces
chacune différente
toutes numérotées et
signées au fer

à coût artisanal c'est-à-dire
mieux que raisonnable
parce que sans intermédiaire

Document promotionnel, vers 1980. Le choix de la table « Neuf Pavés » en fait l'emblème de la production de Dominique Zimbacca.

Tirant parti des cernes et des gerçures du bois, Dominique Zimbacca crée avec la table « Neuf Pavés » un motif dépourvu d'artifice, par le seul emboîtement des dosses de bois démontables.

MEUBLES-SCULPTURES

Face à la profonde transformation des modes de production et de distribution du mobilier qui s'impose en France après la Seconde Guerre mondiale, la démarche de Dominique Zimbacca apparaît comme une forme de résistance. Son goût des matériaux naturels l'incite à se détourner des dérivés synthétiques du bois qui envahissent alors la production contemporaine. Ses meubles très architecturés détonnent face aux nouvelles possibilités offertes par les matières plastiques.

À contre-courant des tendances modernes, Dominique Zimbacca souhaite réapprendre le langage de l'artisan. Il se tourne vers des essences locales et le bois de récupération, magnifiant ses défauts pour affirmer sa valeur esthétique. Son mobilier incarne ainsi la démarche organique qui gouverne toute sa création, en ce qu'il exalte

Table, chaises et bancs de salle à manger, vers 1965. Édité par Pierre Chapo, cet ensemble est réalisé par Dominique Zimbacca et Françoise Sée. Le plateau de la table est composé de cinq lattes sculptées et repose sur un piètement architecturé.

Parmi les modèles emblématiques de la production de Dominique Zimbacca, le fauteuil « Jupiter », dont l'assise en bois est tendue d'une pièce de cuir triangulaire, et la table « Neuf Pavés ».

Trois types de chaises parmi lesquels le modèle « Joker » dont le dossier s'affine imperceptiblement.

l'individualité et refuse la standardisation. Usant généralement de techniques traditionnelles, comme l'assemblage de moises ou de tenons et mortaises, il cite certains motifs anciens, comme l'évidement ménagé au milieu de la table à manger, pour y recevoir le pain, à la manière des tables de monastères.

Plutôt que d'assembler des pièces de bois de section carrée, Dominique Zimbacca en coupe l'extrémité en biais et les applique l'une contre l'autre, selon un angle de 45 degrés[133]. Ce procédé permet de maintenir une jonction plus large entre les pièces, renforçant par là même leur solidité. Cela permet également de rejeter les arêtes vives, comme il le fait dans ses architectures. Tous les meubles se caractérisent par des lignes obliques qui apportent une légèreté à l'ensemble, malgré leur aspect brut et leur massivité.

Dominique Zimbacca réunit autour de lui de nombreux artisans auxquels il donne un rôle actif dans la création, il ne s'agit donc pas de simples exécutants. À la fin des années 1970, il rencontre Jacques Mauraisin, artisan-menuisier qui l'accompagnera sur de nombreux chantiers et réalisera la majeure partie de son mobilier. L'un des chantiers notables réalisés à cette époque par Zimbacca est l'aménagement de l'appartement d'Édouard Jacquemaire, situé dans les combles du Pavillon du Roi, place des Vosges, en 1974. Accompagné de Patrice Goulet, il compose un espace atypique rythmé par des nacelles de bois soutenues par la charpente, et complète cette réalisation de plusieurs meubles, comme la table « Neuf Pavés » et le fauteuil « Jupiter ».

Variation à partir de la table « Neuf Pavés ».

UN ENSEMBLE EXCEPTIONNEL : LE MOBILIER DE LA MAISON AURIOL[134]

En 1979, Edmond Lay (né en 1930) invite Dominique Zimbacca, dont il connaît les travaux grâce aux articles d'*Aujourd'hui, art et architecture*, à réaliser le mobilier de la maison Auriol à Gabaston, dans les Pyrénées-Atlantiques. Tous deux partagent la même admiration pour l'œuvre de F. L. Wright, qu'Edmond Lay a rencontré en 1958 lors d'un voyage aux États-Unis, avant l'obtention de son diplôme de l'École nationale supérieure des beaux-arts.

Pour cet ensemble, élaboré en parfaite symbiose avec l'architecture, Dominique Zimbacca opère des modifications à mesure que s'élabore le projet, tout comme Edmond Lay tient compte du mobilier dans la disposition spatiale qu'il élabore. Cette cohésion entre les meubles et le cadre vigoureux qui les accueille correspond à la volonté de Dominique Zimbacca d'inclure l'homme dans un environnement harmonieux, simple et chaleureux. Plus qu'un simple décor, les meubles jouent le rôle d'éléments architecturaux. Ils rythment l'espace et lui apportent sa signification ; pour Zimbacca, « les meubles sont les fondations humaines, les ports de l'habitation[135] ». Leur lourdeur, leurs lignes sobres et l'attention portée au travail du bois en font un prolongement de la structure de la maison. Ils ancrent les différentes aires de l'habitation et définissent les usages qui y ont cours, aussi efficacement qu'une cloison.

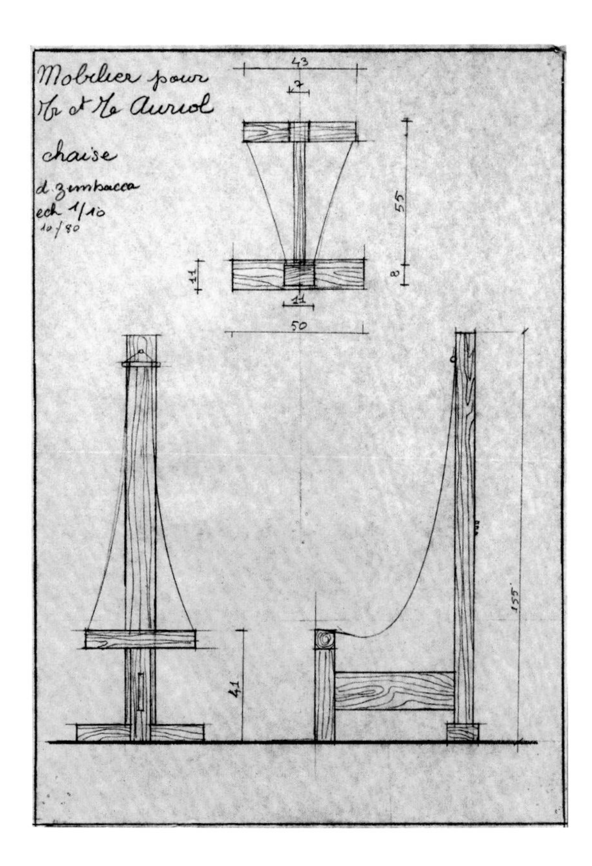

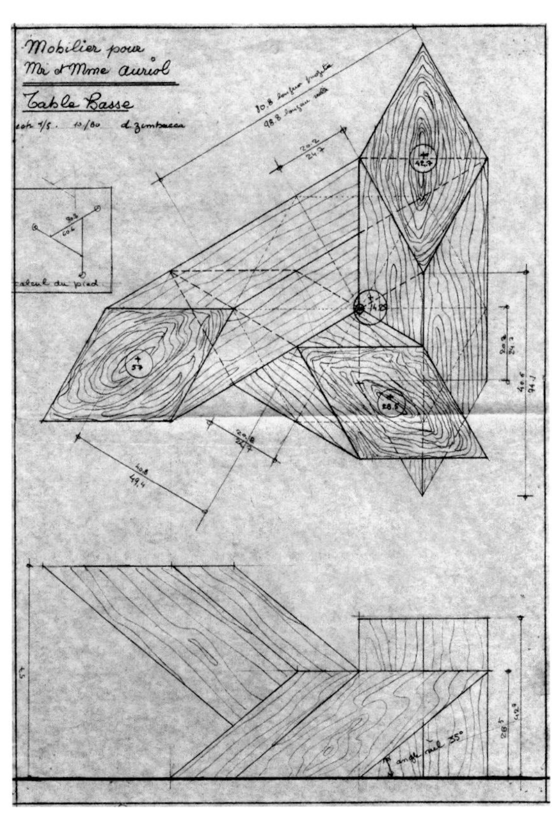

Plans de la chaise « Élaphe » et de la table basse. Dominique Zimbacca emploie des dosses de vieilles poutres dont il conserve l'aspect brut, ce qui lui permet de jouer sur les textures. Certains de ses meubles, comme la table basse, sont taillés dans du bois ancien, récupéré à l'occasion de la destruction de l'infirmerie générale de la Salpêtrière en 1965.

Pour cette maison réalisée pour Guy Auriol, à Gabaston, Dominique Zimbacca s'est attaché à concevoir un prolongement harmonieux de l'architecture de pierre et de bois imaginée par Edmond Lay.

C'est à Yerres, sur le terrain familial où il s'installe à la fin des années 1970, que Dominique Zimbacca met en scène ses réalisations. Ici la chaise « Élaphe » et le fauteuil « Râ », qui se trouvent également à Gabaston.

Notes

Itinéraires d'Hervé Baley et Dominique Zimbacca •
Anne-Laure Sol

1 Caroline Maniaque, *Go West ! Des architectes au pays de la contre-culture*, Marseille, Éditions Parenthèses, 2014.
2 Guy Tapie, « J'habite une maison... », *Maison individuelle, architecture, urbanité*, Éditions Rivages, 2005, p. 58 à 70.
3 D. Zimbacca, le 23 mai et le 8 octobre 1953. AN, AJ52/1070, registres des concours d'admission, section architecture, 1953 à 1960. H. Baley en 1953, 1954, 1956 et 1957. Registres « Concours d'Admission, Architecture, 27 mai 1952 », AN, AJ/52/1069, registre « Concours d'admission, Architecture, 27 mai 1953 » et « Concours d'admission, Architecture, 8 octobre 1953 », AN/52/1070, registre « Concours d'admission, Architecture, 25 mai 1954 » et « Concours d'admission, Architecture, 7 octobre 1954 », AN/52/1070, registre « Concours d'admission, Architecture, 23 mai 1956 » et « Concours d'admission, Architecture, octobre 1956 », Pierrefitte-sur-Seine, AN/52/1070.
4 Simon Texier, *Georges-Henri Pingusson, architecte (1894-1978) : l'architecture comme « transcendance poétique du concret », ou l'impossible doctrine*, thèse de doctorat, université Paris IV-Sorbonne, sous la direction de Bruno Foucart, septembre 1998, p. 495.
5 Georges-Henri Pingusson, *L'Espace et l'architecture*, cours de gestion de l'espace, 1973-1974, texte établi par Armelle Lavallou, Éditions du Linteau, 2010, p. 16.
6 Sarah Itey-Bigot, *La réception de Frank Lloyd Wright à travers une sélection d'expositions de ses œuvres et d'histoires de l'architecture moderne aux États-Unis, en Italie et en France (1938-1977)*, mémoire de master 2 d'histoire de l'art, sous la direction d'Hélène Jannière, université de Rennes 2 de Haute-Bretagne, juin 2016, pp. 50-70.
7 AN, AJ52/841 : Prêts de salles : dossiers particuliers. 1928-1966. Lettre de Daretha Speyer à Nicolas Untersteller, 18 mai 1951.
8 AN, AJ52/841 : Prêts de salles : dossiers particuliers. 1928-1966. Catalogue d'exposition *Exposition de Frank Lloyd Wright*, Paris, École nationale supérieure des beaux-arts, avril 1952.
9 Jean-Louis Cohen, « Wright et la France, une découverte tardive », introduction à *Projets et réalisations de Frank Lloyd Wright*, Paris, Herscher, 1986, p. 5-14.
10 Registre d'inscription des élèves dans les ateliers, 1945-1957, AN, AJ/52/1353. Hervé Baley rejoint cet atelier la même année que Claude Petton (1934-2003), architecte dont l'œuvre s'inscrit également dans le sillage de celle de F. L. Wright et offre de nombreuses similitudes avec les réalisations d'H. Baley et de D. Zimbacca. Daniel Le Couédic, « Claude Petton ou l'architecture chevillée à l'âme », in Françoise Daniel, Alain l'Hostis, *Architecture et Nature*, musée des Beaux-Arts de Brest [éd.], Brest, 2006.
11 AN,AJ52/1353 : Registre d'inscription dans les ateliers, 1945-1957. La première inscription de Dominique Zimbacca a lieu en 1951 dans l'atelier de Marcel Chappey (1896-1983), il est enregistré sous le prénom de Jean-Pierre.
12 AN,AJ52/1353 : Registre d'inscription dans les ateliers, 1945-1957. Un lien familial pourrait être à l'origine de ce changement d'atelier : Jean Faugeron est l'époux de Claude Nahas, cousine de Dominique Zimbacca.
13 En 1977 pour Hervé Baley et en 1982 pour Dominique Zimbacca.
14 Patrice Goulet, Claude Parent, « Exploration n° 3. Dominique Zimbacca », *Aujourd'hui, art et architecture*, n° 49, avril 1965, p. 84.
15 Selon Salomé Van Eynde, Daniel Ginat aurait été étudiant à l'ESA de 1958 à 1964, date de l'obtention de son diplôme.
16 Caroline Maniaque, *Les architectes français et la contre-culture nord-américaine 1960-1975*, thèse de doctorat en architecture, université Paris VIII, Vincennes-Saint-Denis, sous la direction de Jean-Louis Cohen, décembre 2006, p. 140-142.
17 Isabelle Gournay, « Retours d'Amérique (1918-1960). Les voyages de trois générations d'architectes français », in *Américanisme et modernité, l'idéal américain dans l'architecture*, sous la direction de J. L. Cohen et H. Damisch, EHESS-Flammarion, pp. 295-315.
18 Frank Lloyd Wright, *L'Avenir de l'architecture*, Paris, Gonthier, [*The Future of Architecture*, 1953] 1966.
19 Salomé Van Eynde. *Hervé Baley et l'espoir d'une autre architecture : d'un enseignement à l'autre*. Mémoire d'étude de l'École du Louvre, sous la direction d'Alice Thomine-Berrada, conservatrice en chef au musée d'Orsay, mai 2017, p. 61-70.
20 Dominique Zimbacca, « Design d'architectes. Dominique Zimbacca », *Architecture d'aujourd'hui*, n° 210 septembre 1980, p. 14-15.
21 Paris (Île-de-France), archives de Michel Zimbacca, Fonds Dominique Zimbacca, non daté, non paginé.
22 Bruno Zevi, *Toward an Organic Architecture*, Londres, Faber&Faber [1945] 1950, p. 99.
23 Hervé Baley, Dominique Zimbacca, « Hervé Baley et Dominique Zimbacca », *Aujourd'hui, art et architecture*, n° 51 « Le Corbusier », novembre 1965, p. 95.
24 Dominique Zimbacca, « Design d'architectes. Dominique Zimbacca », *Architecture d'aujourd'hui*, n° 210 septembre 1980, p. 16.
25 Patrice Goulet, Claude Parent, « Exploration n° 3. Dominique Zimbacca », *Aujourd'hui, art et architecture*, n° 49, avril 1965, p. 78.
26 La Vacquerie (Hérault), Cantercel, archives de Jean-Pierre Campredon et Annick Lombardet, fonds Hervé Baley.
27 Anonyme, « Les Brutalistes », *Maison et Jardin*, n° 78, août 1961, p. 84-87.
28 Ambre Tissot. *Dominique Zimbacca. Un architecte « organicien » dans la seconde moitié du XXe siècle*. Mémoire d'étude de l'École du Louvre, sous la direction d'Alice Thomine-Berrada, conservateur en chef au musée d'Orsay, mai 2017, p. 44-57.
29 Patrice Goulet, Claude Parent, « Exploration n° 3. Dominique Zimbacca », *Aujourd'hui, art et architecture*, n° 49, avril 1965, p. 81.
30 Architecte, sculpteur, éditeur, André Bloc a également fondé plusieurs revues spécialisées dont en 1930 *L'Architecture d'aujourd'hui*.
31 Patrice Goulet, Claude Parent, « Exploration n° 3. Dominique Zimbacca », *Aujourd'hui, art et architecture*, n° 49, avril 1965, p. 78-88.
32 Alain Marcoz est architecte DPLG en 1962, après avoir suivi durant plus de dix ans les cours de l'École nationale supérieure des beaux-arts (ENSBA), à Paris. Il rejoint l'Atelier d'Architecture et d'Aménagement d'Hervé Baley quelques années après l'obtention de son diplôme.
Après le départ d'Alain Marcoz en 1968, Marc Havet (né en 1939), diplômé de l'ESA en 1963, rejoint l'agence en 1970.
33 Mme Lemoigne, propriétaire d'une maison à Ermont (Val-d'Oise), entretien réalisé au mois de décembre 2017 par l'auteur.
34 Hervé Baley, Patrice Goulet « H. Baley, D. Ginat, A. Marcoz », *Aujourd'hui, art et architecture*, n° 54 « France 1 », septembre 1966, p. 64-81.
35 Persitz Alexandre, Valeix Danielle, *L'Architecture d'aujourd'hui*, « Architectures fantastiques », n° 102, juin-juillet 1962.
36 Maniaque Caroline, *Les architectes français et la contre-culture nord-américaine, 1960-1975*, thèse de doctorat sous la direction de Jean-Louis Cohen, université Paris VIII-Vincennes-Saint-Denis, décembre 2006, p. 106.
37 Baley Hervé, Cordier Gilbert, « Expressions américaines », *Architecture d'aujourd'hui*, n° 136, février-mars 1968, p. 37-53.
38 À la rentrée 1968, Hervé Baley retrouve Gilbert Cordier à l'ESA où ce dernier devient professeur d'histoire de l'architecture.
39 Devenues ensuite les Écoles d'architecture, puis en 2005 le réseau des Écoles nationales supérieures d'architecture (ENSA).
40 Créée en 1865 pour proposer un enseignement technique et artistique absent de l'École des beaux-arts, l'ESA se situe 254 boulevard Raspail dans le XIVe arrondissement.
41 Michel Denès, *Le Fantôme des beaux-arts : l'enseignement de l'architecture depuis 1968*, Paris, Éditions de la Villette, 1999, p. 53, in Van Eynde Salomé, *Hervé Baley et l'espoir d'une autre architecture : d'un enseignement à l'autre*. Mémoire d'étude de l'École du Louvre, sous la direction d'Alice Thomine-Berrada, conservatrice en chef au musée d'Orsay, mai 2017, p. 92-93.
42 La Vacquerie (Hérault), Cantercel, archives de Jean-Pierre Campredon et Annick Lombardet, fonds Hervé Baley, cahiers d'atelier.
43 Annick Lombardet, « Un peu d'histoire, 'Pour nager, il faut se jeter à l'eau' », *Le Carré bleu : feuille internationale d'architecture*, n° 1 « Évolution de l'architecture organique aux États-Unis et en Europe », janvier 2013, p. 45.
44 In Van Eynde Salomé, *op.cit.* p. 108, Hervé Baley « Exposition de dessins de 1887 à 1959 de l'architecte Frank Lloyd Wright », note dactylographiée, p. 1, Cantercel, fonds Baley, chemise à sangle beige, inscription « W ».
45 Saint-Quentin (Aisne), archives municipales, dossier permis de construire, boîte n° 548. Rappelons que Dominique Zimbacca, n'étant pas architecte, ne pouvait signer les plans.
46 Zimbacca Dominique, « Centre Jean-XXIII », *L'Architecture d'aujourd'hui*, n° 144, juin-juillet 1969, p. 74.
47 Loyer François, « L'église paroissiale, monument ou équipement ? », in Antoine Lebas, *Des sanctuaires hors les murs. Églises de la proche banlieue parisienne, 1801-1965*, Paris, Cahiers du Patrimoine, 2002, p. 22.
48 Il s'agit de la maison des parents du menuisier Gérard Jacomi avec lequel travaille D. Zimbacca.
49 Emery Marc, Goulet Patrice, Guide. *Architecture en France 1945-1983*, Paris, Groupe Expansion/ Architecture d'aujourd'hui [éd.] 1983, p. 145.
50 Amouroux Dominique « Nouvelles architectures de maisons en France », Édition du Moniteur, mai 1979, p. 124-131.
51 Paris (Ile-de-France), archives de Michel Zimbacca, fonds Dominique Zimbacca, « Écrits introspectifs », non daté, non paginé.
52 Dominique Amouroux, « Les Nouveaux Ambassadeurs de la France », *Architecture intérieure CREE*, no 190, 1982, p. 74-81 et Patrice Goulet, « La France n'est plus un désert », *L'Architecture d'Aujourd'hui*, n° 229 « France Inconnue », octobre 1983, p. 3.
53 Ce mobilier dessiné par D. Zimbacca est réalisé par Jacques Mauraisin, menuisier établi à Vigneux-sur-Seine (Essonne) et avec lequel il travaille jusqu'à sa mort.

54 Goulet Patrice, « Dominique Zimbacca », *Architecture d'aujourd'hui*, n° 210 « Design d'architectes », septembre 1980, p. 16.

55 Paris (Ile-de-France), archives de Michel Zimbacca, fonds Dominique Zimbacca, « La complainte du pauvre habitant », non daté, non paginé.

56 Goulet Patrice, « n° 135 Formes-Structures », « n° 136 Parapluies », *Extramuros. Architectures de l'enchantement.* Volume 2, Paris, Éditions Archibooks, 2006, p. 306 ; 309.

57 La Chapelle-du-Mont-du-Chat, fonds d'archives privées Jean-Louis Etienne. Courrier de D. Zimbacca à J-L Etienne, 24 novembre 1991.

58 Bardeau de bitume imitant la tuile ou l'ardoise.

59 La Vacquerie (Hérault), Cantercel, archives de Jean-Pierre Campredon et Annick Lombardet, fonds Hervé Baley. Hervé Baley, *Glossaire. Pour la gouverne des participants à l'atelier « Sens et Espace »*, [1982], version bilingue de 1992 d'après la 2e version revisitée de 1987 (trad. Anne Fougerat), format pdf. Pour une analyse exhaustive de ce document, Van Eynde, op.cit. p. 109-114.

Le voyage américain et la scène wrightienne, 1950-1970 • Caroline Maniaque

60 Caroline Maniaque, *Les architectes français et la contre-culture nord-américaine 1960-1975*, thèse de doctorat, université Paris VIII, 2006, pp. 177-190.

61 Michel Ragon, « Entretien avec Michel Ragon », in Thierry Paquot, *Urbanisme*, n° 297, nov.-déc. 1997, p. 6.

62 Michel Marot, entretien avec l'auteur, Paris, 18 décembre 2001. Boursier Fulbright en 1952-1953, Michel Marot suit l'enseignement Master's en City Planning à Harvard.

63 Christian Gimonet, entretien avec l'auteur, Bourges, 13 mai 2000.

64 Marc Emery, entretien avec l'auteur, Paris, 18 décembre 2002.

65 Cf. Caroline Maniaque, *Go West ! Des architectes au pays de la contre-culture*, Marseille, Parenthèses, 2014.

66 Jean Dubuisson, Jean Willerval, Louis-Georges Noviant seront aussi bénéficiaires de cette bourse.

67 Marion Tournon-Branly, entretien avec l'auteur, Paris, 12 juillet 2005.

68 Marion Tournon-Branly, entretien cité.

69 Installée depuis 1921 au château de Fontainebleau, la Fondation des écoles d'art américaines offre à des étudiants étrangers, principalement américains, deux types d'enseignement, musique et architecture. Nadia Boulanger fut directrice du Conservatoire américain de Fontainebleau de sa création, en 1921, à sa mort, en 1979. Pour la section architecture consulter Isabelle Gournay, « Architecture at the Fontainebleau School of Fine Arts 1923-1939 », *Society of Architectural Historians Journal*, v. 45, n° 3, septembre 1986, pp. 270-285.

70 C'est au cours de ses séjours à San Luis Obispo qu'elle rencontre Christopher Alexander, convié à enseigner à la California Polytechnic University. Elle rencontre aussi Paolo Soleri et l'invite dans son programme de Fontainebleau au début des années 1970.

71 Caroline Maniaque, *Go West! Des architectes au pays de la contre-culture*, Marseille, Parenthèses, 2014.

72 Jean-Louis Cohen, « Useful hostage: constructing Wright in Soviet Russia and France », in Anthony Alofsin (dir.), *Frank Lloyd Wrigh: Europe and beyond*, Berkeley, University of California Press,1999, p. 112. Jean-Louis Cohen mentionne le fait que Jean Badovici était en contact avec des collègues hollandais fascinés par Wright. Badovici publie des reproductions du portfolio Wasmuth dans les pages de *L'Architecture vivante* en 1924.

73 Jean-Louis Cohen, « Useful hostage: constructing Wright in Soviet Russia and France », in Anthony Alofsin (dir.), *Frank Lloyd Wrigh: Europe and beyond*, Berkeley, University of California Press, 1999, p. 119.

74 Donald Leslie Johnson, *Frank Lloyd Wright versus America*, Cambridge, Mass., MIT Press, 1990 (seconde édition, 1994), p. 18.

75 Bruno Zevi avait créé dès 1945 son Associazione per una Architettura Organica et publié « Dichiarazione di principi », *Metro*, n° 2, septembre 1945, p. 75.

76 Wright, Frank Lloyd, and Bonardi, Marie-Françoise. *Frank Lloyd Wright. L'avenir de l'architecture ["the Future of Architecture"].* Traduit de l'américain par Marie-Françoise Bonardi, Paris, Gonthier (Évreux impr. R. Labadie), Paris, 1966. et Izzo, Alberto, Camillo Gubitosi, Centre d'études et de recherches architecturales, École spéciale d'architecture, and Frank Lloyd Wright memorial foundation. « Frank Lloyd Wright Dessins, 1887-1959 », Paris, École spéciale d'architecture, 8 juin - 9 juillet 1977 [in fre]. Florence Paris : Centre d'études et de recherches architecturales, Éditions Centro Di, 1977.

77 Donald Leslie Johnson, *Frank Lloyd Wrigh versus America, op. cit.*, p. 38.

78 « The Italian Exhibition and Sixty Years of Living Architecture, 1948-56 », in Kathryn Smith, *Wright on Exhibit. Frank Lloyd Wright's Architectural Exhibitions*, Princeton University Press, 2017.

79 Louis-Georges Noviant, « L'architecture organique regarde l'architecture moderne », *Architecture Française*, « F. L. Wright », n° 123-24, 1952, pp. 71-72. Le numéro de 70 pages est consacré à l'architecte.

80 Frei Otto, « Ein Besuch bei F. L. Wright », *Neue Bauwelt 2*, n° 1, janvier 1952, p. 24.

81 Georges Maurios, entretien avec l'auteur, Paris, 14 janvier 2002.

82 Bernard Huet, entretien avec Maurice Culot, *Anachroniques d'architecture*, Bruxelles, Archives d'Architecture Moderne, 1981, p. 166.

83 Françoise Choay, « Contre l'enfer vertical », *La Quinzaine Littéraire*, 15 juin 1966, p. 17.

84 Françoise Choay, *L'urbanisme, utopies et réalité : une anthologie*, Paris, Éditions du Seuil, 1965, p. 297.

85 Jean Castex, entretien avec l'auteur, Versailles, 6 juillet 1999.

86 Cf. Jean Castex, « Morphologie et syntaxe dans les œuvres de la première période de F. L. Wright », Institut de l'environnement, Sémiotique de l'Espace, 1979.

87 Jean Castex et Philippe Panerai, « Frank Lloyd Wright, de la Prairie House à la Maison Usonienne », *Architecture française*, n° 381-382, mai-juin 1974, pp. 21-23

88 Jean Castex, *Le printemps de la Prairie House*, Éditions Mardaga, 1985, p. 10. En 1986, c'est au tour de Daniel Treiber de publier une monographie sur Wright. Cf. Daniel Treiber, *F. L. Wright*, Paris, Éditions Hazan, 1986.

89 Jean Dethier, entretien avec l'auteur, Paris, 10 juillet 2002. Maurice Culot fonde en 1968 l'A.R.A.U. (Atelier de recherche et d'action urbaine).

90 Françoise Choay, « Contre l'enfer vertical », *La Quinzaine Littéraire, loc. cit.*, p. 17.

91 Patrice Goulet, *Réflexions sur l'architecture de F. L. Wright*, mémoire de diplôme d'architecture, novembre 1978. Le diplôme est soutenu à UPA 6 (Unité pédagogique d'architecture n° 6) sous la direction de Michel Vernes.

92 *Ibid.*, p. 6.

93 *Ibid.*, p. 6.

94 *Ibid.*, p. 21.

95 En 2003, Patrice Goulet écrit la préface de l'ouvrage de Wright, *L'avenir de l'architecture*, publié en une nouvelle traduction par les éditions du Linteau. L'architecte américain y est présenté comme un « rebelle », capable de proposer des maisons réalisées avec une grande attention au détail constructif, en opposition à l'architecture des grands ensembles.

96 Cf. « De retour au pays : Christian Gimonet et la maison individuelle », *L'Architecture d'aujourd'hui*, n° 180, juillet-août 1975, pp. 84-94. Les travaux d'Edmond Lay seront surtout montrés lorsqu'il reçoit le Grand Prix national d'architecture en 1985. Cf. « Edmond Lay, Hassan Fathy, Christian Devillers », *L'Architecture d'aujourd'hui*, n° 237, février 1985, p. XXV. ; « Edmond Lay Grand Prix d'architecture », *Techniques & Architecture*, février-mars 1984, pp. 22-24.

97 Patrice Goulet, entretien avec l'auteur, Paris, 2 mai 2001.

98 Cf. *Aujourd'hui, art et architecture*, n° 54-55, spécial France 1, septembre 1966, pp. 64-81. Il en est de même pour les travaux de Zimbacca. Cf. Dominique Zimbacca, « Centre paroissial Jean-XXIII à Saint-Quentin, avant-projet (1964) », *Aujourd'hui, art et architecture*, n° 49, avril 1965, non paginé.

99 Hervé Baley et Gilbert Cordier, « Expressions américaines », *L'Architecture d'aujourd'hui*, n° 136, février-mars, 1968, pp. 37-53.

100 Hervé Baley et Dominique Zimbacca, « Le Corbusier », *Aujourd'hui, art et architecture*, n° 51, novembre 1965, p. 95.

101 Jean-Louis Cohen, « Wright's Ideas of Twentieth Century Urbanism and Their European Echoes », in David De Long (dir.), *F. L. Wright and the Living City*, Weil am Rhein, Vitra Design Museum, 1998, note 23, p. 247.

102 Neil Levine, *The Urbanism of Frank Lloyd Wright*, Princeton, NJ, Princeton University Press, 2015 ; Kenneth Frampton, *Wright's Writings: Reflections on Culture and Politics 1894-1959*, New York, Columbia University Press/ Columbia Books on Architecture and the City, 2017.

Entretien avec Patrice Goulet • Anne-Laure Sol

103 *Aujourd'hui, art et architecture*, n° 48 paru en janvier 1965. C'est la petite sœur de *L'architecture d'Aujourd'hui*.

104 En 1960, j'avais retrouvé à Venise Manuel Duque, un peintre devenu un ami et mon mentor. C'est sur la place Saint-Marc, en découvrant le magasin Olivetti de Carlo Scarpa, qu'a commencé la route qui m'a conduit à Wright.

105 À la Galerie Jeannette Ostier, place des Vosges.

106 Appartements Theiler et Mulot, Clichy-sous-Bois.

107 Cette extension n'existe plus.

108 Daniel Ginat était entièrement dévoué à Hervé. On pouvait l'ignorer mais pourtant son rôle était important. D'abord il était diplômé et inscrit à l'Ordre des architectes, ce qui permettait à l'agence de travailler officiellement et d'assurer les projets. Ensuite, son calme et sa discrétion rassuraient. C'était le pilier sur qui on pouvait compter. Le pire pouvait arriver, puisque Daniel était là, il n'y aurait pas de panique, il trouverait la solution. Je suis sûr qu'il assurait à l'agence une solidité qui n'était pas que virtuelle et je suis persuadé que c'est lui qui a emmené Hervé en Turquie.

109 « Le Corbusier ». *Aujourd'hui* n° 51, novembre 1965.

110 « France 1 ». *Aujourd'hui* n° 54 paru en novembre 1966. Y sont publiés l'agence Maillard-Ducamp, l'atelier de Montrouge (les projets de Jean Renaudie), Architecture Principe (Claude Parent et Paul Virilio), J. Labro, J. J. Orzoni, J. M. Roques qui travaillaient sur la station de ski d'Avoriaz et l'AAA de Baley, Ginat, Marcoz.

111 Pierre-Marie Goulet est cinéaste. Son premier court métrage, *Mevlevi* (1970), qui montre une cérémonie de derviches tourneurs, a été réalisé grâce à l'intervention d'Hervé Baley. Son deuxième court métrage, *Corps-morts*, montre la disparition des bunkers du mur de l'Atlantique, engloutis dans le sable en hommage à Paul Virilio. Son troisième court métrage, *Naissance*, a été réalisé pour Frédérick Leboyer, un ami d'Hervé Baley.

112 Serge Roulet est cinéaste. Il a été l'assistant de Robert Flaherty, de Hans Richter et de Robert Bresson. En 1966, il a réalisé *Le Mur* d'après le livre de Jean-Paul Sartre, en 1971 *Benito Cereno* d'après le livre d'Herman Melville.

113 Cette maison a aujourd'hui disparu.

114 L'UP6 était encore quai Malaquais. Patrice Goulet a obtenu son diplôme le 20 novembre 1978 avec comme sujet *Le Nouvel Eden, La Nouvelle Jérusalem, Réflexions sur l'architecture de Frank Lloyd Wright*. Dominique Zimbacca était membre du jury.

S'approprier l'enseignement d'Hervé Baley : Jean-Pierre Campredon et le site expérimental de Cantercel • Salomé Van Eynde

115 Annick Lombardet, « Un peu d'histoire, 'Pour nager, il faut se jeter à l'eau' », *Le Carré bleu : feuille internationale d'architecture*, n° 1« Évolution de l'architecture organique aux États-Unis et en Europe », janvier 2013, p. 46.

116 Frank Lloyd Wright, *The Natural House*, New York, Horizon Press, 1954.

117 Entretien avec Jean-Pierre Campredon, 19 mars 2017, Paris.

118 Le gîte de l'Oreillette est issu d'une collaboration : il a été conçu par Hervé Baley, tandis que l'architecte Julia Moraïs Cadas s'est chargée de son exécution. Jean-Pierre Campredon a quant à lui supervisé l'ensemble du projet.

Réalisations d'Hervé Baley et l'Atelier d'Architecture et d'Aménagement, 1964-1972

119 Hervé Baley, Patrice Goulet, « H. Baley, D. Ginat, A. Marcoz », *Aujourd'hui, Art et Architecture*, septembre 1966, n° 54, France 1, p. 64-81, p. 72-73.

120 Le devis produit par l'agence en 1965 indique une mise en œuvre en Siporex. Croissy, fonds d'archives privé Luce Weill.

Réalisations de Dominique Zimbacca, 1969-2000

121 Cette réalisation a été étudiée avec Isabelle Barbedor, directrice de l'Inventaire et du patrimoine culturel, et Thierry Lefébure, photographe, conseil régional des Hauts-de-France, que nous remercions chaleureusement.

122 Goulet Patrice, Parent Claude, « Exploration n° 3 : Dominique Zimbacca », *Aujourd'hui, Art et Architecture*, avril 1965, n° 49, p. 78-87.

123 Goulet Patrice, « Centre paroissial Jean-XXIII à Saint-Quentin », *L'Architecture Aujourd'hui*, n° 144, juin-juillet 1969, p. 74.

124 Goulet Patrice, « Centre paroissial Jean-XXIII », *Architecture*, n° 403, juin 1977, p. 14-17.

125 *Aujourd'hui* n° 49, 1965

126 Dominique Zimbacca, « Centre Jean-XXIII », *Architecture*, n° 403, juin 1977, pp. 14-17.

127 J.-C. Garcias, J.-J. Treuttel, « L'ancrage au sol. Taupinière et soubassement », *Les Cahiers de la recherche architecturale*, éditions Parenthèses, 1er trimestre 1984, p. 58-69.

128 Reproduite en 2006 par Patrice Goulet dans *Extramuros op. cit.*

129 Cette maison a été étudiée avec Caroline Guibaud, conservateur du patrimoine, et Éric Dessert, photographe, au service Patrimoines et Inventaire général, conseil régional Auvergne-Rhône-Alpes, que nous remercions chaleureusement.

130 Édition du Moniteur, mai 1979, p. 124-131.

131 « Les meubles à la pointe de diamant », *Maison et Jardin*, n° 112, avril 1965, pp. 140-141.

132 Propos recueillis auprès de M. et Mme Andrès par Ambre Tissot à Yerres, 12 mars 2017.

133 « Recherches de structures », *Le Nouveau journal de Charpente, Menuiserie, Parquets*, n° 5, mai 1967, pp. 115-117.

134 Cette maison est inscrite à l'inventaire supplémentaire des Monuments Historiques depuis le 26 janvier 2018.

135 Patrice Goulet, Claude Parent, « Exploration n° 3 : Dominique Zimbacca », *Aujourd'hui, art et architecture*, n° 49, avril 1965, p. 82.

Sources et bibliographie

SOURCES

ARCHIVES PRIVÉES

Paris

Kudsi Erguner : photographies de Turquie.

Sabine Ehrmann : fonds photographiques de Gilles Ehrmann, dossier « Mobilier Dominique Zimbacca ».

Patrice Goulet : photographies du voyage aux États-Unis en 1963 d'Hervé Baley, Daniel Ginat et Frédérick Leboyer ; plans originaux et photographies des réalisations et d'aménagements d'appartements par l'Atelier d'Architecture et d'Aménagement (c. 1970-1975).

Michel Zimbacca : fonds Dominique Zimbacca : *Écrits introspectifs, n.p, n.d, La Complainte du pauvre habitant, n.p, n.d.*

Île-de-France

Croissy-sur-Seine (Yvelines) - archives de Mme Weill, photographies du chantier de construction.

Fontenay-aux-Roses (Hauts-de-Seine) - archives de M. Galliat, photographies du chantier de construction.

Saint-Maur (Val-de-Marne) - archives de M. Fraysse, photographies du chantier de construction.

Varennes-Jarcy (Essonne) - archives de M. Altazin, photographies de la maison après sa construction.

Vigneux-sur-Seine (Essonne) - archives de Jacques Mauraisin, dessins originaux et plans de meubles conçus par Dominique Zimbacca.

Villiers-sur-Morin (Seine-et-Marne) - archives de M. Dibon, photographies du chantier de construction.

Yerres (Essonne) - archives de M. et Mme von Bredow, photographies du chantier de construction.

Hors Île-de-France

La Chapelle-du-Mont-du-Chat (Savoie) - archives personnelles de M. Etienne.

La Vacquerie (Hérault), Cantercel - archives de Jean-Pierre Campredon et Annick Lombardet, fonds Hervé Baley :

- Chemise à sangle orange, inscription « Dossier H. BALEY » : documents officiels d'Hervé Baley,
- Chemise à sangle orange, inscription « Références Agence » : curriculum vitae, listes de projets et documents liés aux activités de l'Atelier d'Architecture et d'Aménagement (c. 1960-1995),
- Hervé Baley, *Glossaire. Pour la gouverne des participants à l'atelier « Sens et Espace »*, 2e version, 1985.

Tourouvre (Orne) - archives personnelles de Lucienne Zimbacca, photographies et papiers personnels.

ARCHIVES PUBLIQUES

Paris, Institut français d'architecture - Centre d'archives de l'architecture du XXe siècle

Fonds Forestier, Pierre (1902-1983), dossier 063 Ifa 192.1985 : « Appréhension sensible de l'espace », par Baley (coord.), Lepoutre, Cornier, Campredon, Gal (théories archi. Années 80).

Dossier Socetec, 1985.

Fonds Pingusson, Georges-Henri (1894-1978), dossier 046 Ifa 18.783 : Cours de gestion de l'espace, année scolaire 1973-1974 (119 p.).

Pierrefitte-sur-Seine, Archives nationales, sous série AJ/52, archives de l'École nationale supérieure des beaux-arts de Paris

AJ/52/841 Exposition Frank Lloyd Wright 1952.

AJ/52/1043 Ateliers extérieurs de l'E.N.S.B.A. 1. 1926-1966.

AJ/52/1069 Concours d'admission. Dossier des sessions du concours pour l'E.N.S.B.A. et pour les écoles régionales d'architecture. 1940-1952.

AJ/52/1070 Concours d'admission. Dossier des sessions du concours pour l'E.N.S.B.A. et pour les écoles régionales d'architecture. 1953-1970.

AJ/52/1284 Dossiers individuels des élèves 1. Section architecture. Série du 1er janvier au 31 décembre 1950.

AJ/52/1353 Registre d'inscription des élèves dans les ateliers de peinture, sculpture, architecture et gravure. 1945-1957.

Archives municipales

Aisne :

Saint-Quentin, dossier permis de construire, boîte n° 548.

Essonne :

Arpajon, service urbanisme, PC n° 91-7-14 659. Arrêté de permis de construire du 9 août 1967.

Boutigny-sur-Essonne, service urbanisme, PC 099.92.F.5009. Arrêté de permis de construire du 23 juillet 1992.

Corbeil-Essonnes, service urbanisme, PC n° 91.3.55.381. Arrêté de permis de construire du 9 avril 1973.

Yerres, service urbanisme, PC n° 691.88.M.51.33. Arrêté de permis de construire du 17 janvier 1989.

Hauts-de-Seine :

Clamart, service urbanisme, PC n° 51. Arrêté de permis de construire du 24 avril 1967.

Fontenay-aux-Roses (Hauts-de-Seine), accord de permis de construire du 21 avril 1965.

Orne :

Tourouvre, service urbanisme, PC n° 61491 94 J0014. Déclaration d'ouverture de chantier du 2 décembre 1994.

Val-de-Marne :

Chennevières-sur-Marne, service urbanisme, PC n° 94019 00 N1044. Arrêté de permis de construire du 19 décembre 2000.

Val-d'Oise :

Ermont, service urbanisme :

PC 78-4-75.488. Arrêté de permis de construire du 20 septembre 1963 pour l'édification d'une station-service avec 1 logement de fonction au 255 rue Louis Savoie.

PC 64-24460. 30 juillet 1964. Réalisation d'une maison particulière.

Ézanville, service urbanisme, PC V.0.78-5-91.432. Arrêté de permis de construire du 8 mars 1966.

Yvelines :

Croissy-sur-Seine, service urbanisme, PC YV.78.5.89.078. Arrêté de permis de construire du 10 février 1966.

Entretiens réalisés par Caroline Maniaque :

Christian Gimonet, Bourges, 13 mai 2000,

Michel Marot, Paris, 18 décembre 2001,

Patrice Goulet, entretien avec l'auteur, Paris, 2 mai 2001,

Georges Maurios, Paris, 14 janvier 2002,

Jean Dethier, entretien avec l'auteur, Paris, 10 juillet 2002,

Marc Emery, Paris, 18 décembre 2002,

Marion Tournon-Branly, Paris, 12 juillet 2005.

Entretiens réalisés par Anne-Laure Sol et Salomé Van Eynde

Patrice Goulet, Paris, 18 novembre 2016.

Annick Lombardet et Jean-Pierre Campredon, La Vacquerie (Hérault), Cantercel, 24 au 27 octobre 2016.

Marc Havet, Paris, 16 janvier 2017.

Luc Cazanave et Didier Milon (Agence Acte 3), Paris, 25 janvier 2017.

Kudsi Erguner, Paris, 28 février 2017.

Maryvonne Ginat, Paris, 30 mai 2017.

BIBLIOGRAPHIE GÉNÉRALE

Architecture d'Aujourd'hui, n° 102 « Architectures fantastiques », juin-juillet 1962, numéro collectif.

Architecture d'Aujourd'hui, n° 122 « USA 65 », septembre-novembre 1965, numéro collectif.

Architecture d'Aujourd'hui, n° 237 « Edmond Lay, Hassan Fathy, Christian Devillers », février 1985, p. XXV.

Aujourd'hui, art et architecture, n° 55-56 « USA », décembre 1966-janvier 1967, numéro collectif.

Denès, Michel, *Le fantôme des Beaux-Arts : l'enseignement de l'architecture depuis 1968*, Paris, Éditions de la Villette, 1999.

Giedion, Siegfried, *Espace, temps, architecture. La naissance d'une nouvelle tradition*, Paris, Denoël, [*Time, Space and Architecture, The Growth of a New Tradition*, 1941], 2004.

Gournay, Isabelle, « Architecture at the Fontainebleau School of Fine Arts 1923-1939 », *Society of Architectural Historians Journal*, v. 45, n° 3, septembre 1986, pp. 270-285.

Le Couëdic, Daniel, « Claude Petton ou l'architecture chevillée à l'âme », in Françoise Daniel, Alain l'Hostis, musée des Beaux-Arts de Brest [éd.], *Architecture et Nature*, Brest, musée des Beaux-Arts de Brest, 2006.

Loyer, François, « L'église paroissiale, monument ou équipement ? », *in* Antoine Lebas, *Des sanctuaires hors les murs. Églises de la proche banlieue parisienne, 1801-1965*, Paris, Cahiers du Patrimoine, 2002, p. 22.

Maniaque, Caroline, *Les architectes français et la contre-culture nord-américaine 1960-1975*, Thèse de doctorat en architecture, université Paris VIII, Vincennes-Saint-Denis, sous la direction de Jean-Louis Cohen, décembre 2006, p. 140-142.

Maniaque, Caroline, *Go West ! Des architectes au pays de la contre-culture*, Marseille, Éditions Parenthèses, 2014.

Pingusson, Georges-Henri, *L'Espace et l'architecture, cours de gestion de l'espace 1973-1974*, Paris, Éditions du Linteau, 2010, texte établi par Armelle Lavallou.

Paquot, Thierry, *« Entretien avec Michel Ragon », in Urbanisme*, n° 297, nov.-déc. 1997, p. 6.

Tapie, Guy, « J'habite une maison... », in *Maison individuelle, architecture, urbanité*, Éditions de l'Aube, 2005, p. 5-23.

Techniques & Architecture « Edmond Lay Grand Prix d'architecture », février-mars 1984, pp. 22-24.

Texier, Simon, *Georges-Henri Pingusson, architecte (1894-1978) : l'architecture comme « transcendance poétique du concret », ou l'impossible doctrine*, thèse de doctorat, université Paris IV-Sorbonne, sous la direction de Bruno Foucart, septembre 1998.

Zevi, Bruno, *Toward an Organic Architecture*, Londres, Faber&Faber [1945] 1950.

Hervé Baley

Baley, Hervé, Zimbacca, Dominique, « Hervé Baley et Dominique Zimbacca », *Aujourd'hui, art et architecture*, n° 51 « Le Corbusier », novembre 1965, p. 95.

Baley, Hervé, Goulet, Patrice, « H. Baley, D. Ginat, A. Marcoz », *Aujourd'hui, art et architecture*, n° 54 « France 1 », septembre 1966, p. 64-81.

Baley, Hervé, Cordier, Gilbert, « Expressions américaines », *Architecture d'aujourd'hui*, n° 136, février-mars 1968, p. 37-53.

Lombardet, Annick, « Un peu d'histoire, 'Pour nager, il faut se jeter à l'eau », *Le Carré bleu : feuille internationale d'architecture*, n° 1 « Évolution de l'architecture organique aux États-Unis et en Europe » janvier 2013, p. 45.

Van Eynde, Salomé, *Hervé Baley et l'espoir d'une autre architecture : d'un enseignement à l'autre*. Mémoire d'étude de l'École du Louvre, sous la direction d'Alice Thomine-Berrada, conservatrice en chef au musée d'Orsay, mai 2017.

Dominique Zimbacca

Amouroux, Dominique, « Nouvelles architectures de maisons en France », *Éditions du Moniteur*, mai 1979, p. 124-131.

Amouroux, Dominique, « Les nouveaux ambassadeurs de la France », *Architecture intérieure CREE*, n° 190, 1982, p. 74-81.

Diamant-Berger, Roger, « Dominique Zimbacca », *L'Architecture d'aujourd'hui*, n° 144, juin-juillet 1969, pp. 74-75.

Emery, Marc, Goulet, Patrice, *Guide. Architecture en France 1945-1983*, Paris, Groupe Expansion/Architecture d'aujourd'hui [éd.] 1983, p. 145.

Goulet, Patrice, Parent, Claude, « Exploration n° 3. Dominique Zimbacca », *Aujourd'hui, art et architecture*, n° 49, avril 1965, p. 78-88.

Goulet, Patrice, « Dominique Zimbacca », *Architecture d'aujourd'hui*, n° 210 « Design d'architectes », septembre 1980, p. 14-16.

Goulet, Patrice, « La France n'est plus un désert », *L'Architecture d'Aujourd'hui*, n° 229 « France Inconnue », octobre 1983, p. 2-5.

Goulet, Patrice, *Extramuros. Architectures de l'enchantement*. Volume II, Paris, Archibooks, 2006.

Kernan, Thomas (dir), « Les Brutalistes », *Maison & Jardin*, n° 78, août 1961, p. 84-87.

Kernan, Thomas (dir), « Maison de soleil. Unité de conception de l'architecture et du mobilier », *Maison & Jardin*, n° 90, février 1963, p. 54-57.

Kernan, Thomas (dir) « Les meubles à pointes de diamant », *Maison & Jardin*, n° 112, avril 1965, p. 140-141.

Tissot, Ambre. *Dominique Zimbacca. Un architecte « organicien » dans la seconde moitié du XXe siècle*. Mémoire d'étude de l'*École du* Louvre, sous la direction d'Alice Thomine-Berrada, conservateur en chef au musée d'Orsay, mai 2017.

Zimbacca, Dominique « Centre Jean XXIII », *Architecture*, n° 403, juin 1977.

Zimbacca, Dominique, « Design d'architectes. Dominique Zimbacca », *Architecture d'aujourd'hui*, n° 210, septembre 1980, p. 14-16.

Jean-Pierre Campredon et Cantercel

North, Renan, « Cantercel : un laboratoire à ciel ouvert », *Archiscopie*, n° 25, 2002, p. 15-17.

http://www.cantercel.com (consulté le 15 septembre 2016, puis le 5 février 2018)

Frank Lloyd Wright

Castex, Jean et Panerai, Philippe, « Frank Lloyd Wright, de la Prairie House à la Maison Usonienne », *Architecture française*, n° 381-382, mai-juin 1974, pp. 21-23.

Castex, Jean, « Morphologie et syntaxe dans les œuvres de la première période de F. L. Wright », *Sémiotique de l'Espace*, Paris, Institut de l'environnement, 1979.

Castex, Jean, *Le printemps de la Prairie House*, Bruxelles, Mardaga, 1987.

Choay, Françoise, « Contre l'enfer vertical », *La Quinzaine Littéraire*, 15 juin 1966, p. 17.

Choay, Françoise, *L'urbanisme, utopies et réalité : une anthologie*, Paris, Seuil, 1965, p. 297.

Cohen, Jean-Louis, « Wright et la France, une découverte tardive », *in Projets et réalisations de Frank Lloyd Wright*, Paris, Herscher, 1986, p. 5-14.

Cohen, Jean-Louis et Damisch, Hubert, *Américanisme et modernité : L'idéal américain dans l'architecture*, Paris EHESS/Flammarion, coll. « *Histoire et Théorie de l'Art* », 1992.

Cohen, Jean-Louis, « *Wright's* Ideas of Twentieth Century Urbanism and Their European Echoes », in David De Long (dir.), *F. L. Wright and the Living City*, Weil am Rhein, Vitra Design Museum, 1998.

Cohen, Jean-Louis, « Useful hostage : constructing Wright in Soviet Russia and France », in Anthony Alofsin (dir.), *Frank Lloyd Wright : Europe and beyond*, Berkeley, University of California Press, 1999.

École nationale supérieure des beaux-arts, *L'architecture organique face à l'architecture Moderne, Frank Lloyd Wright*, Paris, ENSBA, avril 1952, Paris, La Productrice, s.d. [1952].

Frei, Otto, « Ein Besuch bei F. L. Wright », *Neue Bauwelt* 2, n° 1, janvier 1952, p. 24.

Goulet, Patrice, *Réflexions sur l'architecture de F. L. Wright*, mémoire de diplôme d'architecture de l'unité pédagogique n° 6, sous la direction de Michel Vernès, novembre 1978.

Goulet, Patrice. « La maison transfigurée ». *L'Architecture d'Aujourd'hui* n° 227 « Bruce Goff », juin 1983, pp. 77-79.

Goulet Patrice. « En route pour l'Eden », Introduction à *Frank Lloyd Wright, L'avenir de l'architecture*, Éditions du Linteau, Paris 2003, pp. 5-20.

Frampton, Kenneth, *Wright's Writing : Reflections on Culture and Politics 1894-1959*, New-York, Colombia University Press/ Columbia Books on Architecture and the City, 2017.

Huet, Bernard, entretien avec Maurice Culot, *Anachroniques d'architecture*, in Auteur ? Bruxelles, Archives d'Architecture Moderne, 1981, p. 166.

Itey-Bigot, Sarah, *La réception de Frank Lloyd Wright à travers une sélection d'expositions de ses œuvres et d'histoires de l'architecture moderne aux États-Unis, en Italie et en France (1938-1977)*, mémoire de master 2 d'histoire de l'art, sous la direction d'Hélène Jannière, université de Rennes 2, juin 2016.

Izzo, Alberto et Gubitosi, Camillo, *Frank Lloyd Wright, Dessins, 1887-1959*, Paris, École spéciale d'architecture, 8 juin - 9 juillet 1977, Florence/ Paris : Édition Centro Di/ Centre d'études et de recherches architecturales, 1976.

Johnson, Donald Leslie, *Frank Lloyd Wright versus America*, Cambridge, Mass., MIT Press, [1990] (1994).

Levine, Neil, *The Urbanism of Frank Lloyd Wright*, Princeton, Princeton University Press, 2015 ; Kenneth Frampton, *Wright's Writings : Reflections on Culture and Politics 1894-1959*, New York, Columbia University Press/ Columbia Books on Architecture and the City, 2017.

Katryn Smith *« The Italian Exhibition and Sixty Years of Living Architecture, 1948-56 », in Kathryn Smith, Wright on Exhibit. Frank Lloyd Wright's Architectural Exhibitions*, Princeton, Princeton University Press, 2017.

Noviant, Louis-Georges, « L'architecture organique regarde l'architecture moderne », *Architecture Française*, « F. L. Wright », n° 123-24, 1952, pp. 71-72.

Parent, Claude et Goulet, Patrice, « Où va l'architecture américaine ? », *Cimaise* n° 69-70 juillet-octobre 1964, pp. 71-86.

Treiber, Daniel, *F. L. Wright*, Paris, Hazan, 1986.

Wright, Frank Lloyd, Bonardi, Marie-Françoise (trad.). *Frank Lloyd Wright. L'avenir de l'architecture* ["The Future of Architecture"], Paris, Gonthier [1953], 1966.

Wright, Frank Lloyd, *The Natural House*, New York, Horizon Press, 1954.

Crédits photographiques

© Région Ile-de-France / Laurent Kruszyk
Pages 2, 8, 22-23, 50-51, 53, 59 (fig. 2), 61, 64 (fig. 1), 65, 66, 67, 68, 70, 71, 72 (fig. 1), 73, 76-77, 82, 83, 84, 85 (fig. 2), 86, 87, 89, 90, 91, 92, 93, 98, 99, 100, 101 et photographies en couverture et rabats.

© Région Hauts-de-France / Thierry Lefébure
Pages 80, 81 (fig. 2).

© Région Auvergne-Rhône-Alpes / Éric Dessert
Pages 95, 95, 96, 97.

© DR / Cantercel (Hérault), fonds Hervé Baley
Pages 10, 19 (fig. 1 et 2), 20, 25 (fig. 2), 26, 39, 63 (fig. 2).

© DR / Cantercel (Hérault), fonds Dominique Zimbacca
Pages 103 (fig. 1), 104 (fig. 1), 106.

© DR / Cantercel (Hérault), fonds Jean-Pierre Campredon
Pages 46, 49.

© Gilles Ehrmann, SAIF
Pages 11, 15, 21, 88, 102, 103 (fig. 2), 105, 107 (fig. 1).

© Daniel Ginat / Archives Patrice Goulet
Page 12 (fig. 1, 2, 3).

© Frédérick Leboyer / Archives Patrice Goulet
Pages 12 (fig. 4), 32, 34 (fig. 2), 35.

© DR / Archives Kudsi Erguner
Pages 13, 24.

© DR / Sanctuaire de l'Universel
Page 13.

© DR / Archives Patrice Goulet
Pages 16, 34, 57, 63 (fig. 1).

© Patrice Goulet
Pages 17, 20, 24, 25 (fig. 1), 36, 36, 38, 40, 42, 43, 44, 45, 52, 54 (fig. 1 et 2), 56, 60, 62, 64 (fig. 2), 69, 72 (fig. 2), 74, 75, 78, 79, 81 (fig. 1), 85 (fig. 2), 103, 104 (fig. 2), 107 (fig. 2 et 3), et photographie en 4e de couverture.

© Ambre Tissot
Page 22.

© DR / Archives Caroline Maniaque
Pages 28, 29, 32 (fig. 1).

© Tim Benton
Pages 30, 31.

© Jean-Louis Véret / Fonds Jean-Louis Véret / CAPA
Page 31 (fig. 1 et 2).

© DR / Fonds Dibon
Page 54 (fig. 2).

© DR / Fonds Galliat
Pages 58, 59 (fig. 1).

© Hervé Gloagen
Page 104.

Légendes des illustrations de la jaquette :

Maison Michard, Corbeil-Essonnes (Essonne), Dominique Zimbacca, 1976.
Vue intérieure de la Maison Michard, Corbeil-Essonnes (Essonne), Dominique Zimbacca, 1976.

Maison Tardif, Ézanville (Val-d'Oise), Atelier d'Architecture et d'Aménagement, 1965. Vue prise au momant de la livraison du chantier.
Maison Tardif, Ézanville (Val-d'Oise), Atelier d'Architecture et d'Aménagement, 1965. Détail du puits de lumière.

Créé par André Malraux et l'historien d'art André Chastel en 1964 et transféré de l'État à la Région en 2004, l'Inventaire a pour mission de recenser, étudier et faire connaître le patrimoine pour constituer une documentation unique sur le territoire. L'Inventaire conduit une recherche de terrain qui observe, analyse et décrit les œuvres « in situ » en s'appuyant sur les sources d'archives et la bibliographie disponible. Cette « aventure de l'esprit » devait pour ses initiateurs allier la recherche à la photographie, pour promouvoir durablement la création d'un « musée imaginaire » collectif.

En prenant l'initiative d'une nouvelle collection « Patrimoines d'Île-de-France », la Région Île-de-France s'engage résolument dans une démarche de valorisation originale des multiples facettes constituant son territoire.

www.patrimoines.iledefrance.fr

Hervé Baley & Dominique Zimbacca, architectes - Pour une autre modernité
Inventaire général du patrimoine culturel,
Région Île-de-France
Sous la direction de Julie Corteville, par Anne-Laure Sol ; photographies Laurent Kruszyk
Lyon : Lieux-Dits, 2018
112 p. ; 174 ill. coul et noir & blanc ; 243 x 290 mm
ISSN 2606-8044 - ISBN 978-2-36219-161-9
Photogravure et maquette : Lieux Dits, Lyon
Impression : Birograf